# Ho'oponopono

DR LUC **BODIN**

MARIA-ELISA **HURTADO-GRACIET**

# Ho'oponopono

*Le secret des guérisseurs hawaïens*

jou**V**ence
EDITIONS

**Des mêmes auteurs
dans la même collection**

*L'EFT
Emotional Freedom Technique : mode d'emploi*

## Extrait du catalogue Jouvence

*Choisir le bon psy !* Vanessa Saab, 2011

*Le vrai rôle du papa*, Éric Tognoni & Charles Brumauld, 2011

*La positive solitude*, Hervé Magnin, 2010

*Les 7 étapes du lâcher-prise*, Colette Portelance, 2010

*Transformer sa colère*, Carolle & Serge Vidal-Graf , 2010

Catalogue gratuit sur simple demande
**Éditions Jouvence**
France : BP 90107 – 74161 Saint-Julien-en-Genevois Cedex
Suisse : CP 184 – 1233 Genève-Bernex
Site Internet : **www.editions-jouvence.com**
Mail : info@editions-jouvence.com

© Éditions Jouvence, 2011
ISBN 978-2-88353-937-2

Dessin de couverture : Jean Augagneur
Maquette de couverture : Éditions Jouvence
Suivi éditorial et réalisation : Fabienne Vaslet

# Sommaire

Avant-propos. . . . . . . . . . . . . . . . . . . . . . . . . . . . . . . 9

Préface. . . . . . . . . . . . . . . . . . . . . . . . . . . . . . . . . . 11

Introduction. . . . . . . . . . . . . . . . . . . . . . . . . . . . . . 17

**1. Découvrir Ho'oponopono** . . . . . . . . . . . . . . . . 23
Une petite métaphore. . . . . . . . . . . . . . . . . . . . . . . .24
Les origines . . . . . . . . . . . . . . . . . . . . . . . . . . . . . .26
Les principes de base de Ho'oponopono . . . . . . . . . 30
Les mémoires erronées. . . . . . . . . . . . . . . . . . . . . . .33
Tout est à l'intérieur . . . . . . . . . . . . . . . . . . . . . . . .37

**2. Ho'oponopono et notre identité**. . . . . . . . . . 41
Les différentes parties de notre identité. . . . . . . . . . .42
Cultiver les relations
entre les différentes parties de soi. . . . . . . . . . . . . . 44
Les quatre phrases du mantra de purification. . . . . . 49
Le processus de transmutation . . . . . . . . . . . . . . . . .53
Accueillir l'inspiration. . . . . . . . . . . . . . . . . . . . . . . 60

**3. Ho'oponopono en pratique** . . . . . . . . . . . . . . 63
Une séance de nettoyage . . . . . . . . . . . . . . . . . . . . . 64
Les bénéfices de la pratique de Ho'oponopono . . . . 69
Outils de nettoyage . . . . . . . . . . . . . . . . . . . . . . . . .75
Créer ses propres outils . . . . . . . . . . . . . . . . . . . . . .77

## 4. Ho'oponopono au quotidien . . . . . . . . . . . . . 79

Un problème relationnel. . . . . . . . . . . . . . . . . . . . 80
Un problème financier . . . . . . . . . . . . . . . . . . . . 82
Une difficulté dans la vie . . . . . . . . . . . . . . . . . 82
Une dépendance . . . . . . . . . . . . . . . . . . . . . . . . 84
La préparation à un événement. . . . . . . . . . . . . . . .85
Un problème de surpoids. . . . . . . . . . . . . . . . . . .87
Le réflexe Ho'oponopono . . . . . . . . . . . . . . . . . . 88
Ho'oponopono au coucher et au réveil . . . . . . . . . . . 89
Le nettoyage du corps. . . . . . . . . . . . . . . . . . . . 90
Le nettoyage des liens familiaux . . . . . . . . . . . . . .92

## 5. Un chemin d'évolution. . . . . . . . . . . . . . . . . . 95

Victime, créateur, divin... . . . . . . . . . . . . . . . . . 96
Ho'oponopono et les thérapeutes . . . . . . . . . . . . . .97
Un chemin de chaque jour . . . . . . . . . . . . . . . . . 100
Nous sommes tous reliés . . . . . . . . . . . . . . . . . .101
Le message d'Emoto . . . . . . . . . . . . . . . . . . . . .105
Les nouvelles énergies . . . . . . . . . . . . . . . . . . .107

## Conclusion . . . . . . . . . . . . . . . . . . . . . . . . . . 111

## Annexes . . . . . . . . . . . . . . . . . . . . . . . . . . . 119

Méditation pour se connecter
à son Moi supérieur. . . . . . . . . . . . . . . . . . . . . .120
Méditation pour se connecter
à son enfant intérieur . . . . . . . . . . . . . . . . . . . .126
Exercice utilisant le procédé Z-point . . . . . . . . . . . 131
Bibliographie . . . . . . . . . . . . . . . . . . . . . . . . .134
Pour aller plus loin . . . . . . . . . . . . . . . . . . . . .135

## Les auteurs . . . . . . . . . . . . . . . . . . . . . . . . . 136

# Pictogrammes

 Bon à savoir

 À retenir

 ATTENTION

 Recette

 Témoignage

 Zoom

 Le petit plus

 Le saviez-vous ?

 Un peu d'histoire

 Conclusion

 Pour aller plus loin

 Trucs et astuces

Notre collection **Maxi Pratiques** se veut claire, lisible, didactique et facile d'accès. Elle comporte des rubriques reconnaissables par des pictogrammes (ci-dessus) ; vous accédez ainsi à l'essence de nos livres rapidement (chaque livre ne contient pas forcément tous les pictogrammes présents). Bonne lecture et bien du plaisir !

# Avant-propos

Ho'oponopono est à la fois une philosophie de la vie, dont les origines remontent probablement à l'Antiquité hawaïenne, mais aussi un formidable outil d'évolution personnelle. Il a été développé au 20$^e$ siècle par la chamane Morrnah Simeona, puis par le Dr Ihaleakala Hew Len et Joe Vitale. Chacun l'a utilisé et diffusé à sa manière, selon son expérience et son ressenti.

Nous souhaitons vous transmettre dans cet ouvrage nos connaissances de Ho'oponopono tel que nous l'avons compris à travers notre propre chemin d'évolution. Nous ne prétendons nullement expliquer ici Ho'oponopono des origines, mais plutôt nos expériences et la manière dont il est possible de se servir de Ho'oponopono au quotidien, afin de surmonter les obstacles de la vie et de se libérer des vieux schémas et des programmes erronés qui mènent à la souffrance, aux conflits et aux problèmes.

Par ailleurs, il sera fait quelquefois allusion dans ce livre à « Dieu », à notre « divinité intérieure », à la « partie divine » qui

**Surmonter les obstacles de la vie**

est en nous – toutes dénominations de la même « essence » ou de la même « vibration », que nous avons du mal à réduire à un mot. Il ne s'agit aucunement ici de faire du prosélytisme... ce qui serait en totale contradiction avec les principes mêmes de Ho'oponopono, qui développent au contraire la liberté individuelle et le non-enfermement dans quelque dogme que ce soit. Ces mots de « Dieu » ou de « divinité » suivent simplement les appellations données par Morrnah Simeona et reprises ensuite par le Dr Len. Il ne faut pas que vous, lecteur, bloquiez sur eux. Ils auraient

**Principe de Vie**

tout aussi bien pu être remplacés par « l'Univers », « l'Esprit », « la Vie », « le principe de Vie »... Ces mots indiquent simplement la présence d'un élément supérieur à nous, un élément qui se situe au-delà de notre dimension matérielle et qui nous englobe dans un ensemble unitaire qui est l'Univers, Dieu ou ce vous désirez... car au fond, le nom importe peu.

# Préface

*Dr Luc Bodin*

Mes recherches m'ont conduit presque inexorablement de mes études médicales conventionnelles à la médecine énergétique. Puis, recherchant l'explication des résultats indéniables obtenus par cette dernière thérapie, j'en suis venu à étudier la physique quantique. À ce moment, tous les voyants se sont mis à clignoter en même temps dans ma tête. J'ai d'abord été très désarçonné de constater combien ces merveilleuses découvertes, qui révolutionnent totalement notre vision de la vie et de l'Univers, demeurent inconnues du grand public alors qu'elles ont été établies par Einstein et bien d'autres il y a maintenant plus d'un siècle. Laissant cela de côté, j'ai réalisé combien cette physique était magnifique et fort proche de la philosophie voire de la spiritualité. Elle montre – ou plutôt démontre – ainsi que l'esprit s'imprègne dans la matière et qu'il peut la changer, la transformer presque à sa guise. Par ailleurs, la théorie des cordes explique parfaitement que tout dans l'Univers est lié – relié serait le mot qui conviendrait mieux.

Lorsque j'ai commencé à étudier Ho'oponopono, j'ai immédiatement compris que cette conception de la vie était juste. Elle relayait et amplifiait les théories de la physique quantique, montrant que nous ne sommes pas simplement reliés mais qu'en réalité, nous ne formons qu'un avec notre environnement et avec l'Univers. Notre intérieur et notre extérieur ne font qu'un. Présenté ainsi, il devient facile de comprendre que nous sommes les créateurs de notre vie et de tous les événements, grands ou petits, qui la composent. Notre pensée façonne l'énergie à sa manière selon ses inspirations mais aussi selon ses schémas négatifs, ses croyances limitantes, ses mémoires erronées, ses peurs invalidantes, créant ainsi un monde constitué d'ombres et de lumières.

**Notre pensée façonne l'énergie à sa manière**

Tout cela était théorique et m'emplissait la tête d'une magnifique conception de la vie... fort heureusement, Ho'oponopono m'a remis les pieds sur terre. Grâce à lui, la théorie est devenue pratique et j'ai commencé peu à peu à aborder les événements de la vie d'un œil nouveau. Cela s'est fait tout doucement, le vieux réflexe de reporter sur les autres la responsabilité des incidents ou des conflits de ma vie étant encore puissant.

Lorsque je m'inquiétais à propos d'une situation à venir, je faisais Ho'oponopono en envoyant plein d'amour et en demandant à ce que toutes mes mémoires erronées en rapport avec cette situation s'effacent. Je m'aperçus alors que les événements que je redoutais se déroulaient au contraire avec une incroyable facilité. De même, lorsqu'une personne manifestait de l'agressivité envers moi, au lieu de lui répondre de la même manière, je comprenais que cette provocation venait d'une souffrance que j'avais en moi et je lui envoyais de l'amour, tout en faisant Ho'oponopono.

## Aborder la vie d'un œil neuf

Ho'oponopono m'a permis de surmonter bien des difficultés qui auraient pu m'anéantir ou du moins me déstructurer profondément. Il permet de faire face aux petits et aux grands aléas de la vie. Cela va de la place de parking qu'un automobiliste vous « vole » juste devant vous alors que vous tournez en rond depuis longtemps à la facture salée que vous n'attendiez pas, du réfrigérateur qui tombe en panne un dimanche en plein été à la voiture qui refuse de démarrer le jour d'un rendez-vous important, etc. Sachant que tout vient de moi, j'aborde la vie avec beaucoup moins d'agressivité et surtout beaucoup plus de calme.

Ainsi, ma vision du monde s'allégeait et une certaine tranquillité m'envahissait au fur et à mesure que je pratiquais Ho'oponopono. Cependant, j'étais impressionné par le nombre de blocages, de conduites inappropriées, de schémas déstructurants que je pouvais avoir en moi... Car je continue aujourd'hui encore à balayer les vieilles mémoires qui me bloquent.

**Outil d'évolution personnelle**

Ho'oponopono est un rayon de soleil dans ma vie parce qu'il m'a appris que je pouvais moi-même, sans l'aide de personne, me libérer de mes vieux blocages limitants mais aussi – surtout – que je pouvais commencer à créer la vie que je désirais : changer l'ambiance au travail, avoir un travail plus intéressant, améliorer mes relations conjugales, développer des liens amicaux avec mes voisins... Bref avec le temps et de la patience, je devrais pouvoir créer une vie qui répondra davantage à mes aspirations profondes...

Un autre aspect de Ho'oponopono, et non des moindres, est qu'il s'agit d'un formidable instrument d'évolution personnelle. Nous commençons tous par l'utiliser pour soulager notre vie des conflits et des tracasseries qui la composent. Mais de solution en solution, d'effacement de mémoire erronée en effacement, nous évoluons sans même nous en rendre compte. Il nous faut, de temps à autre, nous forcer à faire un retour en arrière pour mesurer tout le chemin parcouru grâce à Ho'oponopono. Il nous remet sur le chemin de notre évolution, qui était un instant arrêté.

Ho'oponopono est un formidable instrument de liberté. Il nous place en créateurs de notre vie, ce qui est d'une certaine manière lourd de conséquence ; mais aussi, ce qui nous rend totalement libres face aux doctrines et aux dogmes... car il nous rappelle que la vérité est en nous et qu'il est inutile de la chercher ailleurs. N'est-ce pas merveilleux ?

**Instrument de liberté**

Enfin, avec Ho'oponopono, il n'y a pas de haine, de jalousie, de calomnie, de rancune, il n'y a que pardon, compréhension et amour, ce qui est très reposant. Ho'oponopono nous apprend l'amour des autres mais aussi et surtout l'amour de soi-même, ce qui constitue un beau chemin... que vous ne regretterez certainement pas d'avoir emprunté.

# Introduction

*Maria-Elisa Hurtado-Graciet*

Ho'oponopono est arrivé dans ma vie au bon moment, comme par hasard. Je me souviens très bien de cette sensation que j'ai eue d'avoir retrouvé une vérité que je connaissais déjà et que j'avais oubliée. Cette vérité m'accompagne depuis lors, et elle continue de m'émerveiller chaque fois qu'elle se manifeste dans ma réalité. C'est le cas pour la plupart des personnes avec qui j'ai partagé ce message. J'ai senti dans leur regard une étincelle, un sourire de joie au fond de leurs yeux. Et tout de suite après avoir fait une profonde respiration, ils disaient : « Oui, c'est ça ! C'est juste ! »

**« Oui, c'est ça, c'est juste ! »**

J'imagine que vous vous demandez : mais quelle est cette vérité ? Aussi, je vais vous laisser le plaisir de la découvrir par vous-même, parce que quelques mots ne suffisent pas pour exprimer tous les aspects, toute la grandeur et toute la beauté de Ho'oponopono. C'est comme un cadeau, à chacun de le prendre et de le découvrir à sa manière.

Ho'oponopono est aussi une pratique. Dans ce livre, nous allons vous en donner le mode d'emploi. Ensuite, ce sera à vous de l'expérimenter et de découvrir ce qu'il va vous apporter.

Ho'oponopono vient d'une ancienne pratique hawaïenne. Elle porte en elle des principes simples et pourtant très profonds, issus de sagesses ancestrales. De nombreuses civilisations passées détenaient une connaissance semblable. C'est ainsi que lorsque les Mayas se saluaient, ils disaient : « *In Lakesh* », ce qui veut dire « *Toi, une autre version de moi* ». Les Indiens, pour dire bonjour se lancent « *Namasté* », ce qui veut dire « *Je salue le Divin en toi* », c'est-à-dire je reconnais la divinité intérieure qui est en toi.

**« *In Lakesh* : Toi, une autre version de moi. »**

Il semblerait que lors de son évolution, notre société moderne ait oublié l'essentiel... Fort heureusement, ces dernières années, les vérités refont surface, sans doute parce que nous sommes prêts à les accueillir. Ho'oponopono en est une. Elle ne prétend pas être la seule voie à suivre. D'ailleurs, Ho'oponopono nous apprend que chacun est totalement libre. C'est cela qui est merveilleux.

Le gros avantage de Ho'oponopono est qu'il est simple et facile à intégrer dans notre quotidien. Les choses simples sont toujours faciles à appliquer, ce qui en définitive, est le plus important. Un autre avantage de cette technique est qu'il est possible de la pratiquer tout seul. Si vous aimez demeurer le pilote de votre vie, alors Ho'oponopono va vous plaire ! Plus besoin d'aller chercher « la » solution dans des livres ou dans des séminaires longs, compliqués ou coûteux. Car elle est à l'intérieur de vous et Ho'oponopono vous donne le moyen de la trouver.

Lorsque nous avons décidé d'écrire ce livre, je me suis posé la question de savoir ce que Ho'oponopono m'avait apporté concrètement. La première chose que j'ai trouvée, c'est la paix – la paix intérieure ! Je peux rester calme malgré les aléas de la vie. Les événements glissent sur moi comme des gouttes d'eau sur les plumes d'un oiseau. Avant, j'avais souvent tendance à me mettre en colère contre les autres ou contre moi-même et à m'impatienter quand les choses ne marchaient pas comme je le voulais. Je ne pouvais pas faire autrement, c'était plus fort que moi. Aujourd'hui, je ne saurais dire où cette colère est passée. Et entre nous, je n'ai pas besoin de le savoir. Tout ce que je sais – et c'est l'essentiel – c'est que si par hasard elle

**Trouver la paix intérieure**

revient (ce qui est de plus en plus rare), j'ai maintenant le moyen de la transformer.

Un autre cadeau que m'a apporté Ho'oponopono a consisté à cesser de juger. Je ne peux plus porter de jugement sur les autres. Vous verrez, lorsque vous l'expérimenterez, combien c'est confortable et reposant. Nous économisons ainsi notre énergie qui peut alors être dirigée vers ce qui est vraiment utile. Nous pouvons par exemple nous occuper de nettoyer notre maison intérieure afin de commencer à nous y sentir bien.

**Cesser de juger les autres**

J'ai intégré tous les aspects de Ho'oponopono progressivement. Il m'a fallu du temps et de la patience. L'intégration s'est faite par paliers. Lorsque je le faisais au début, j'attendais de voir si des changements dans la situation survenaient. Certaines fois cela marchait, d'autres fois non. Je me disais alors « encore un truc qui ne marche que de temps en temps ! ». Puis, petit à petit, à force de lire et de m'informer sur la méthode et surtout de la pratiquer, je l'ai intégrée de façon plus profonde dans ma vie. Et j'ai compris qu'il ne fallait surtout rien attendre de particulier. Il s'agit simplement d'accepter de changer les pensées erronées que nous entretenons à l'intérieur de nous. Et une fois libérés d'elles, des choses, des événements auxquels nous ne nous attendions pas, se produisent dans nos vies. C'est cette nouvelle attitude que vous allez découvrir dans ce livre. Une attitude qui associe l'humilité, la responsabilité, la foi et le lâcher-prise.

Le troisième cadeau que m'a apporté Ho'oponopono fut un sentiment d'unité. Je me sens de plus en plus en communion étroite avec « tout »... tout ce qui m'environne et tout ce qui survient dans ma vie. Nous sommes tous « un » et tout se passe à l'intérieur.

Vivre au quotidien... ce que ces mots transportent, Ho'oponopono va vous permettre de l'intégrer peu à peu en vous, jusque dans la plus petite cellule de votre corps.

Il est important de bien comprendre que Ho'oponopono n'est pas un but mais un chemin... notre chemin de chaque jour, qui se fait petit à petit. Plus on le pratique, plus il devient facile et agréable... C'est ça aussi qui est merveilleux !

Il nous permet d'intégrer une nouvelle conscience, une conscience d'unité et de partage... dans le plaisir, la joie et le bonheur.

Amusez-vous bien !

# 1. Découvrir Ho'oponopono

ORIGINE
PRINCIPES

Ho'oponopono nous explique que nous sommes les créateurs du monde dans lequel nous vivons… mais aussi qu'en changeant nos mémoires erronées, nous sommes capables de le transformer radicalement.

# Une petite métaphore

Voici d'abord une petite histoire pour vous permettre de bien comprendre Ho'oponopono. Une femme se lève un matin et se dirige, encore endormie, vers la cuisine. Elle y croise sa fille, sur le départ pour l'école. Elle remarque immédiatement une tache sur son visage. Elle lui dit alors : « *Tu as vu la tache que tu as sur ton visage ?* » Elle prend une serviette et se met à frotter dessus pour la faire disparaître. Mais elle a beau frotter, la tache ne part pas. Au bout d'un moment, elle cesse ses tentatives et sa fille part à l'école.

Une heure plus tard, la femme sort faire des courses. Elle croise sa voisine dans la rue. Elle constate avec étonnement que celle-ci présente la même tache que sa fille, au même endroit du visage. Puis un peu plus loin, le facteur qui distribuait le courrier, exhibe aussi cette anomalie. La femme pense : « *Mais ce n'est pas possible. Qu'est-ce qui se passe aujourd'hui avec toutes ces personnes qui ont des taches sur la figure ?* » Elle leur signale les taches qu'elles ont sur le visage mais elles ont beau frotter, ces taches ne s'effacent pas.

C'est alors que l'une de ces personnes lui signale qu'elle a, elle aussi, une tache sur le visage. Horrifiée, elle sort aussitôt un miroir et constate qu'en effet, elle présente aussi cette même tache... Incroyable ! C'est une épidémie ! En hâte, elle sort un mouchoir en papier et frotte, frotte... À ce moment, ô miracle, la tache disparaît rapidement. Le plus incroyable est qu'au fur et à mesure que l'anomalie disparaît de son visage, elle disparaît également des visages de toutes les personnes autour d'elle. C'est alors que sa conscience se réveille. Elle comprend que les personnes qu'elle voit autour d'elle ne sont autres que son propre reflet, comme dans un miroir. En comprenant cela, elle sourit et tout devient beaucoup plus simple. Elle lance alors dans sa tête ce remerciement à l'adresse de toutes les personnes qu'elle a rencontrées ce matin-là : « *Merci parce que sans vous, je n'aurais jamais vu la tache sur mon visage et je ne l'aurais jamais effacée.* »

**L'autre est un miroir**

Eh bien, cette petite histoire « reflète » parfaitement ce qu'est Ho'oponopono ! Il s'agit simplement de comprendre que les autres ne sont que notre miroir... Mais aussi que tout ce qui arrive en face de nous, dans notre vie, n'est que le reflet de quelque chose qui se trouve à l'intérieur de nous. Ceci constitue le premier élément de Ho'oponopono. Et en allant plus loin, il s'agit d'intégrer que nous sommes bien les créateurs de tout ce qui nous entoure et de tout ce qui se déroule dans notre vie.

## Les origines

Le mot Ho'oponopono signifie « *corriger ce qui est erroné* » ou « *rendre droit* », c'est-à-dire revenir à ce qui est juste. Ainsi, ce procédé va permettre de corriger ses erreurs de pensée, qui sont à l'origine de tous les problèmes survenant dans notre vie.

Ho'oponopono a été mis au point par Morrnah Simeona, une chamane hawaïenne. Elle s'est servie d'un rituel qui était utilisé autrefois dans les villages pour résoudre les problèmes communautaires. Le procédé consistait à réunir les personnes, qui se mettaient alors à partager tous leurs problèmes et tous leurs conflits. Ensuite, chacun demandait pardon aux autres pour les pensées erronées qu'il avait entretenues.

La version nouvelle créée par Morrnah se pratique seul, sans avoir besoin de faire intervenir une autre personne. Il s'agit essentiellement d'un processus de repentir et de réconciliation avec soi-même. Cela

**Rendre droit**

peut être une manière de communiquer avec notre « divinité intérieure ».

Ho'oponopono nous permet de développer une profonde relation avec notre être intérieur. Il faut prendre l'habitude de lui demander sans cesse de nettoyer nos pensées erronées. Ce procédé place le mental en arrière-plan et nous permet d'accéder à notre Moi profond. Celui-ci peut alors nous indiquer les actions justes et appropriées sous forme d'inspiration ou d'intuition.

Morrnah disait toujours « *La Paix commence avec moi* », mais aussi : « *Nous sommes ici seulement pour apporter la Paix dans notre propre vie, et si nous apportons la Paix dans notre vie, tout autour de nous retrouve sa place, son rythme et la Paix.* » C'est très précisément le premier but de cette pratique : retrouver la paix intérieure.

Morrnah affirmait que tous les êtres humains étaient alourdis par leur passé et que chaque fois qu'une personne sentait une peur ou un stress, elle devrait prendre la peine d'observer l'intérieur d'elle-même. Elle constaterait alors que la cause de son malaise provenait d'une de ses mémoires.

Par la suite, Ho'oponopono a été diffusé partout dans le monde grâce à un article que Joe Vitale a fait paraître sur Internet, dans lequel il racontait comment le Dr Ihaleakala Len avait contribué à la guérison de malades mentaux dans un hôpital psychiatrique à Hawaï. Voici cette histoire.

Le docteur Len avait été formé par Morrnah Simeona. Quand il est arrivé dans cet hôpital d'Hawaï, les malades étaient très violents et les conditions de travail pour le personnel particulièrement difficiles. Quelques mois après son arrivée, un peu de calme s'était déjà installé parmi les patients et le personnel. Petit à petit, les cellules d'isolement se sont vidées et les traitements ont été allégés. Au bout de trois ans, la salle où se trouvaient enfermés les cas les plus graves fut fermée car pratiquement tous les malades avaient vu leur état s'améliorer de façon importante et avaient pu être libérés.

Le plus incroyable, dans cette histoire, est que le Dr Len ne voyait jamais ses patients. Il ne recevait jamais personne en entretien. Il s'enfermait dans son bureau et regardait simplement les dossiers de ses malades un par un, et travaillait sur lui-même. Et à mesure qu'il travaillait sur lui, les malades allaient de mieux en mieux.

Quand la nouvelle s'est répandue, tout le monde lui a demandé ce qu'il avait pu

**Dans ma vie, tout est ma création**

faire pour obtenir un tel résultat. Il a alors répondu :

« – *Je guéris la partie de moi qui les a créés. Car tout dans ma vie est ma création. Je sais que c'est difficile à admettre. Mais si je veux changer ma vie, je dois commencer par me changer moi-même.*

– *Et comment faites-vous cela ?*

– *Je prends chaque dossier et je répète simplement : Désolé, pardon, merci, je t'aime.*

– *C'est tout ?*

– *C'est tout !* »

**C'est tout ?
C'est tout !**

Lorsque quelqu'un lance ces mots : « *Désolé, pardon, merci, je t'aime* », il ne s'adresse à personne en particulier. Il invoque simplement un esprit d'amour afin de guérir la partie de lui-même qui est en rapport avec le problème. Ainsi, il corrige les pensées erronées qu'il entretenait à ce sujet.

**Le petit plus**

« S'aimer soi-même est la meilleure façon de s'améliorer, et à mesure que la personne s'améliore, elle améliore le monde qui l'entoure. »

# Les principes de base de Ho'oponopono

Le procédé Hoponopono est basé sur les cinq principes suivants :

### 1. La réalité physique est une création de mes pensées.

Tout ce qui compose notre réalité, notre environnement, notre vie n'est en fait que le résultat ou la création de nos propres pensées.

## 2. Si mes pensées sont erronées, elles créent une réalité physique fausse.

Si mes pensées sont erronées, fausses, distordues, chargées de rancœur, de jalousie, de mensonge... elles vont me créer une réalité fausse. Et ce qui est le plus grave, c'est que je vais finir par croire que cette fausse réalité physique est la vraie réalité de la vie... ce qui ne va faire que m'enfermer encore un peu plus dans mes pensées erronées, créant ainsi un véritable cercle vicieux. Pour en sortir, il suffit que je change mes pensées pour que la réalité change.

**Changer mes pensées pour changer ma réalité**

## 3. Si mes pensées sont parfaites, elles créent une réalité physique pleine d'amour.

Si mes pensées sont parfaites, elles réalisent pour moi un monde plein d'amour. Aussi, tant que mon monde, c'est-à-dire ma réalité, n'est pas plein d'amour, cela signifie que toutes mes pensées ne sont pas parfaites et que je dois encore travailler dessus...

### 4. Tout est à l'intérieur. Tout existe en pensées dans mon esprit.

En fait, le réel n'existe pas. Il n'y a que ma propre réalité, que je crée sans cesse avec mes pensées. Ainsi, tout n'existe que dans mes pensées, à l'intérieur de moi. Mon intérieur crée ma réalité extérieure.

### 5. Je suis le créateur de mon univers physique tel qu'il est et si je corrige mes pensées, je peux changer ma réalité.

**Créer son univers**

Tel un artiste qui peint sa toile avec ses pinceaux, je crée mon univers, c'est-à-dire ma réalité, à l'aide de mes pensées bonnes ou mauvaises. Les parties sombres de la toile correspondent aux zones sombres de mon esprit. Je peux changer cette réalité physique si je corrige et change mes pensées inadéquates. Les zones noires disparaîtront ainsi peu à peu pour laisser à la place à un monde d'amour.

# Les mémoires erronées

Notre environnement, notre monde, notre univers, les personnes que nous rencontrons, les situations que nous vivons ne sont que les reflets de nos pensées intérieures. Aussi est-il temps de s'interroger sur ces pensées, et surtout sur les pensées erronées, tordues, fausses, douloureuses, agressives que nous entretenons tous. Quelle est leur origine ? La réponse est simple : *les pensées sont le produit de nos mémoires*. Mais cette affirmation ne fait que repousser un peu plus loin le questionnement : qu'est-ce qu'une mémoire ?

*Une mémoire est un programme inconscient*, qui a été créé par un événement qu'une personne a vécu dans le passé, ou quelquefois que ses parents ou ses ancêtres ont vécu. Celui-ci est à l'origine de croyances à travers lesquelles sa perception de la réalité est déformée. Car les croyances sont des filtres à travers lesquels nous percevons le monde qui nous entoure.

Une phrase de Paul Ferrini[1] se rapproche bien de ce concept : *« Si tu veux connaître la réalité, tu dois la libérer de tout jugement et*

**Les croyances
sont
des filtres**

---

1. Paul Ferrini, *L'amour sans conditions*, éditions Le Dauphin Blanc, 2006.

*demeurer en elle tout simplement et profondément.* » En effet, les jugements et toutes les mémoires inconscientes sont comme des voiles qui recouvrent la réalité et empêchent de la comprendre mais aussi d'y accéder.

Par exemple, lorsqu'une personne attend ou espère quelque chose de précis d'une autre personne (souvent à l'insu de cette autre personne) et qu'elle ne l'obtient pas, elle pense : « Cette personne n'est pas fiable. Je ne peux pas compter sur elle » ou « elle est égoïste » ou encore « elle ne fait pas ce qu'elle dit » et beaucoup d'autres jugements qui vont être enregistrés dans son esprit. Ensuite, chaque fois qu'elle rencontre cette personne ou qu'elle pense à elle, elle ressort ces croyances et ces jugements. Elle n'est plus capable de voir la personne telle qu'elle est réellement, elle ne la voit qu'à travers le filtre de ces souvenirs, de ces préjugés, c'est-à-dire à travers cette mémoire qui s'est logée dans son esprit. Ainsi, la réalité qu'elle perçoit est teintée de cette mémoire.

**La réalité que nous percevons est teintée par nos mémoires inconscientes.**

De la même manière, toute réalité que nous percevons est teintée par de nombreuses mémoires inconscientes qui proviennent d'expériences passées, issues de notre vie, de celle de nos parents ou de nos ancêtres, et qui sont peut-être là depuis la nuit des temps.

Ainsi, chaque fois que nous nous heurtons à un problème, il faut que nous comprenions que c'est simplement une mémoire qui est en train d'intervenir et d'agir à l'intérieur de nous-même. Cela montre la grande importance qu'il y a à éliminer continuellement ces filtres et ces programmes qui nous empêchent d'accéder à la réalité telle qu'elle est.

L'origine de nos problèmes, ce n'est pas nous... mais ce sont nos mémoires. Elles sont comme des taches qui empêchent la lumière d'entrer en nous. Lorsque nous nettoyons ces mémoires, nous changeons notre façon de penser et notre réalité se transforme obligatoirement. L'histoire du 20e chameau, présentée à la page suivante, illustre bien cet aspect.

**Nettoyer
les filtres**

### Histoire
### Le 20ᵉ chameau

*Il était une fois un Arabe qui voyageait dans le désert avec son serviteur et ses vingt chameaux. Un soir, alors qu'ils s'étaient arrêtés pour la nuit, ils ne trouvèrent que 19 piquets pour attacher les chameaux. Par conséquent, ils ne pouvaient pas attacher le dernier chameau. Le serviteur demanda à son maître comment il pouvait faire et le maître lui répondit : « Fais semblant de planter un autre piquet et de l'attacher. Comme ça, le chameau va croire qu'il est attaché. » C'est ce qu'il fit. Le lendemain, tous les chameaux étaient là. Le vingtième n'avait pas bougé de sa place. Ils détachèrent donc les chameaux et reprirent leur route. Au bout d'un moment, ils s'aperçurent que le dernier chameau n'avait pas bougé. Il était resté sur place. Car le serviteur n'ayant pas fait le geste d'enlever sa corde, il se croyait toujours attaché.*

C'est exactement ce que font nos mémoires. Elles nous donnent l'impression que nous sommes toujours attachés et induisent des programmes inappropriés qui font que nous demeurons au même endroit. Ho'oponopono nous fait prendre conscience qu'une mémoire bloque notre cheminement et nous permet de l'effacer.

# Tout est à l'intérieur

J'ai passé ma vie à essayer de changer les autres, ma famille, mon voisin, mon patron, le gouvernement, la société... et je constate aujourd'hui que ça ne marche pas. C'est désespérant ! « Ils » ne veulent rien comprendre. « Ils » n'entendent rien de ce qu'on leur dit. Ce sont des incapables. Etc. etc. Nous entendons tous ce genre de propos sortir de la bouche des autres... mais aussi de la nôtre, il faut bien l'admettre. Alors que faire ? Demeurer dans la rancœur et la haine ? Ce n'est pas la solution. Nous pouvons en revanche changer notre manière de voir les événements et pour cela, commencer par modifier notre point de vue de départ et accepter d'effectuer un nettoyage de l'intérieur de nous-même. Car c'est là que se trouve la solution. Tout changement de notre environnement ne se produira que si un nettoyage de nos mémoires intérieures, de nos croyances erronées, de nos souffrances intimes, est effectué. C'est là le point de départ.

**L'intérieur est le point de départ**

Il est important de toujours se rappeler que :

« *Tout est à l'intérieur, rien n'est à l'extérieur.* »

*« Je suis le créateur à 100 % de tout ce qui arrive dans ma vie. »*

Lorsqu'une personne considère que la source de ses problèmes provient de l'extérieur d'elle-même, elle se trouve bloquée, impuissante et rapidement désespérée. Elle ne peut rien faire, car elle est en train de donner son pouvoir à quelque chose d'extérieur à elle. Elle se place en victime et attend qu'un sauveur ou un événement vienne à point nommé pour la sauver. Bref, elle espère un miracle et ne voit aucune solution pour sortir de sa situation.

**Je décide de changer**

Bien sûr, chacun est libre d'appréhender la vie comme il l'entend et d'interpréter ses expériences à sa façon. Il faut faire attention à ne pas tomber dans la culpabilité ou dans la rancœur et la rancune vis-à-vis des autres ou de soi-même. Car ces sentiments sont des acides qui rongent l'esprit et ils ne permettent pas de changer la situation.

À présent, si l'on part du point de vue que la réalité est façonnée par les pensées et donc que les problèmes rencontrés dans la réalité sont le résultat de pensées erronées ou de préjugés provenant de mémoires anciennes souvent inconscientes, il devient évident qu'en effaçant ces mémoires, les pensées erronées et les jugements en relations avec elles vont être immédiatement éliminés ce qui va, ipso facto, changer la réalité vécue par la personne.

Pour se libérer de ces mémoires, il suffit de faire appel à Ho'oponopono. Ainsi, toutes les pensées erronées seront éliminées. Le premier pas consiste à prendre la décision de nettoyer ses mémoires intérieures. C'est à chacun de nous de prendre cette décision et à personne d'autre. C'est une décision personnelle. Il n'y a que nous qui puissions décider si nous sommes prêts à changer ou non.

**Le petit plus**

Si vous voulez mesurer votre ouverture au changement, vous pouvez effectuer l'exercice suivant :

Allez devant un miroir. En vous regardant droit dans les yeux, dites-vous la phrase suivante : « Je suis prêt(e) à changer mes pensées erronées et à changer mon point de vue sur la vie. »

Observez ce qui se passe en vous. Cette affirmation vous semble-t-elle vraie ? Vous pouvez la répéter chaque matin afin d'apporter plus de flexibilité dans votre façon de penser.

# 2. Ho'oponopono et notre identité

LES
DIFFERENTES
PARTIES
DE SOI

L'important est de prendre conscience de qui nous sommes. Or, nous ne sommes pas nos mémoires. Nous sommes au contraire des êtres divins…

# Les différentes parties de notre identité

Pour bien comprendre les principes de Ho'oponopono, nous allons voir à présent les différents éléments qui composent notre identité selon la tradition hawaïenne. Elle serait composée de **4 éléments** :

– Le **subconscient** ou *Unihipili,* qui en hawaïen veut dire « enfant ». Il s'agit ici de notre enfant intérieur, la partie émotionnelle de notre être. C'est aussi la partie de nous où toutes les mémoires sont stockées. Non seulement nos propres mémoires, mais aussi les mémoires de nos parents, de nos ancêtres et de nos vies passées.

– Le **conscient,** en hawaïen *Uhane* qui veut dire « mère ». Il correspond à notre mental ou à notre intellect. C'est grâce à cette partie que nous pouvons faire des choix dans notre vie.

– Le **superconscient,** en hawaïen *Aumakua* qui veut dire « père ». Nous pourrions parler de notre âme ou de notre être supérieur. Il fait partie de nous, même s'il se trouve dans une autre dimension. Il ne se laisse pas interférer par les mémoires et il est toujours relié à Dieu.

– **Dieu** ou **l'intelligence divine** qui se trouve à l'intérieur de chaque être et qui nous relie tous. Nous pourrions la nommer le « Dieu en nous ». C'est cette partie qui va faire le nettoyage de nos mémoires. Mais il est important de souligner qu'elle le fera uniquement si nous en faisons expressément la demande, parce que nous avons toujours notre libre-arbitre.

À partir de ces quatre éléments de notre personnalité, voyons comment se déroule un processus de guérison par la technique de Ho'oponopono : quand un problème survient dans la vie d'une personne, nous avons vu qu'il s'agissait en fait d'une mémoire qui se matérialisait dans sa réalité. Grâce à son conscient, celle-ci va alors précisément en prendre conscience et va choisir la manière dont elle va traiter la situation :

**Nous avons toujours notre libre-arbitre.**

– soit elle se laisse guider par ses mémoires et continue de fonctionner comme une marionnette téléguidée par elles ;

– soit elle dit « stop » en reconnaissant que ce qu'elle voit dans sa vie n'est que le produit de ses mémoires anciennes et qu'elle peut mais aussi qu'elle désire les changer.

Dans cette seconde solution, elle prend contact avec son être supérieur (son âme) pour demander à sa partie divine de nettoyer les mémoires erronées. Et son travail s'arrête là. La personne n'a plus rien d'autre à faire. Il lui faut simplement lâcher prise et laisser faire la divinité en elle. Il lui faut simplement laisse faire. Avec le temps, la confiance se développera et elle sera sûre que la solution apportée à son problème sera la meilleure, et qu'elle surviendra rapidement.

## Cultiver les relations entre les différentes parties de soi

Les différentes parties de l'identité d'un individu interagissent sans arrêt entre elles. Chacune est importante et a son rôle à jouer. L'objectif final est que toutes les parties soient en parfaite harmonie. Car si l'une d'entre elles domine les autres, la personne ne pourra pas retrouver sa véritable identité. C'est grâce à l'union de toutes ses parties que la personne deviendra et réalisera ce qu'elle est véritablement. Il est donc très important de développer et de cultiver de bonnes relations entre toutes les parties de son être.

**Harmonie parfaite**

## 1. La relation entre la « mère » et l'« enfant intérieur » est cruciale.

La mère, le moi conscient, doit prendre soin de son « enfant intérieur », le subconscient. Pour cela, elle doit d'abord le reconnaître, l'accepter et lui manifester de l'amour pour ainsi le rassurer ce qui est important car cet enfant intérieur est dans la souffrance et se sent délaissé. Le moi mental, est toujours très occupé à réfléchir, à vouloir tout savoir, tout contrôler, prenant toute la place, l'enfant est livré à lui-même et se trouve pris en otage par les mémoires qui le manipulent comme une marionnette.

Pour pouvoir retrouver notre enfant intérieur dans son état « pur », il va falloir nettoyer toutes ses mémoires qui l'emprisonnent et l'empêchent d'être lui-même. Pour qu'il accepte de les lâcher et pour qu'il collabore avec nous, il faut qu'il se sente en confiance. C'est pourquoi une relation aimante entre la mère et l'enfant intérieur est cruciale. Sinon, des résistances vont se développer.

Pour cultiver cette relation mère-enfant, il convient que la personne demeure à l'écoute de ses besoins mais aussi de ses émotions, de ses peurs, de ses colères, de

ses chagrins... afin de les reconnaître. Ainsi, l'enfant intérieur va reprendre confiance et collaborer dans le processus de purification.

C'est comme cette mère qui enlevait les lentes une à une dans les cheveux de sa fille. Celle-ci adorait cela parce qu'à ce moment-là, elle se sentait aimée et choyée. Sa mère avait une attention particulière pour elle et prenait soin d'elle. C'est un peu ce qu'il convient de faire avec son enfant intérieur : lui enlever une à une chacune des mémoires qui l'empêchent d'être libre et en paix. Il va ainsi retrouver sa joie, sa spontanéité et devenir lui-même.

**Le petit plus**
**En annexe** de ce livre, vous trouverez :

– une méditation qui va vous aider à prendre contact avec votre enfant intérieur ;

– un exercice pratique basé sur le procédé Z-point qui vous permettra d'installer le réflexe d'effectuer le nettoyage chaque fois qu'une mémoire négative surviendra.

## 2. La connexion entre le conscient (la mère) et le superconscient (le père ou l'être supérieur).

Une fois la décision prise de se débarrasser d'une mémoire encombrante, le mental/conscience va s'adresser au superconscient/être supérieur pour qu'il demande à l'Intelligence divine de nettoyer la mémoire qui est en jeu et de la transmuter en lumière. Cette dernière notion est importante. Car il s'agit ici d'un processus d'amour et non de haine ou de destruction. Il ne s'agit donc pas de détruire cette mémoire perturbatrice mais au contraire de la transmuter en énergie positive.

De cette manière, nous pouvons cultiver la relation entre les différentes parties de notre individualité, en particulier entre notre conscient et notre âme/être supérieur. De plus, ce dernier étant toujours en contact avec Dieu, en cultivant la relation entre le mental et l'âme, nous allons développer la relation avec notre partie divine.

Chaque fois que nous prenons la décision de nettoyer nos/les mémoires perturbatrices, nous nous adressons à la partie supérieure de notre être, que certains appellent l'âme. Car c'est à partir d'elle que va se déclencher la transmutation.

Einstein disait qu'il n'était pas possible de résoudre un problème au même niveau qu'il avait été créé. Dans Ho'oponopono, c'est pareil. Pour transmuter une mémoire qui emprisonne le subconscient, il faut monter de niveau vers le niveau spirituel. C'est à partir de là que la libération va survenir.

Seule la pratique régulière de Ho'oponopono permet de renforcer ce lien. C'est comme une amitié qui va peu à peu se consolider par des contacts répétés. Nous allons nous sentir de plus en plus proche de notre être supérieur et ainsi, la connexion se fera de manière de plus en plus rapide et aisée.

Étant ainsi relié à notre âme, nous nous sentons également de plus en plus centré, bien dans notre vie et bien dans notre tête.

**Établir une connexion directe**

Être relié avec notre être supérieur nous procure une grande force intérieure qui nous permettra de faire face sereinement à tous les aléas de la vie.

L'objectif ultime est que nous nous sentions en communion avec l'ensemble de l'Univers, voire même avec Dieu... mais également que nous nous rappelions que nous sommes aussi une émanation de Dieu.

En apprenant à rester en contact avec notre divinité intérieure, nous n'avons plus besoin de gourou ni d'aucun intermédiaire pour nous montrer le chemin. Établir une connexion directe, c'est ce que l'évolution de la conscience nous invite à faire en cette période du début du troisième millénaire.

**Le petit plus**

**En annexe,** vous trouverez une méditation guidée que vous pouvez enregistrer et écouter de temps à autre pour apprendre à entrer en contact avec votre être supérieur.

# Les quatre phrases du mantra de purification

Pour déclencher le programme de nettoyage des mémoires perturbatrices, il existe plusieurs possibilités. L'outil le plus courant consiste à répéter les quatre phrases de purification tout en pensant être le seul responsable de ses erreurs de pensée et d'en confier le nettoyage à Dieu.

*Ces quatre phrases sont :*
**Désolé.**
**Pardon.**
**Merci.**
**Je t'aime.**

Chacun de ces mots possède un pouvoir exceptionnel :

« **Désolé, pardon** » ne signifie pas que nous entrons dans la culpabilité. Il s'agit en fait de tout autre chose. Il n'y a ici ni victime, ni coupable. Il n'y a pas de bien ni de mal. Chacun est simplement créateur de sa vie et de tout ce qui arrive dans sa vie. Il est possible de représenter la réalité comme un grand champ d'expérimentation organisé à notre insu par notre inconscient pour éveiller notre conscience sur les mémoires erronées qui sont en chacun de

**Ni victime, ni coupable**

nous. Où se trouve la culpabilité alors ? Les événements de la vie deviennent, dans cette situation, de simples indicateurs de nos états de pensées... souvent appelés nos « états d'âme », sans qu'il y ait aucun jugement de valeur à leur donner.

Par ailleurs, lorsque nous nous sentons coupable par rapport à quelqu'un, nous lui enlevons une partie de son propre pouvoir créateur. Il est donc important de lâcher la culpabilité, qui est une mémoire erronée qu'il faudra également nettoyer.

**Le pardon est libératoire**

Les mots « désolé, pardon » peuvent aussi être présentés comme une demande d'excuse pour l'événement dysharmonieux produit par nos pensées, parce que nous ne savions pas que nous avions cette mémoire négative et que nous n'avons pas fait exprès d'induire le problème. Nous nous adressons alors à Dieu pour demander pardon d'avoir eu ces pensées erronées qui ont créé la situation désagréable. C'est le pardon qui va permettre de couper le lien avec ces mémoires erronées. Il est libératoire. C'est un élément très important. On dit souvent aussi que la santé commence par le pardon...

**Extrait**

« On ne peut atteindre la paix intérieure qu'en pratiquant le pardon. Pardonner, c'est se libérer du passé, et c'est donc le moyen de corriger nos erreurs de perception.

Nous pouvons corriger nos erreurs de perception *maintenant,* en nous libérant de nos rancunes et de nos remords à l'égard des autres. Par ce processus d'oubli sélectif, nous devenons libres d'embrasser le présent sans éprouver le besoin de rejouer le passé. Par le vrai pardon, nous pouvons mettre un terme au cycle sans fin de la culpabilité et voir les autres ainsi que nous-mêmes avec un regard d'Amour. Le pardon nous délivre des pensées qui semblent nous séparer les uns des autres. Libres de cette croyance en la séparation, nous sommes guéris et nous pouvons étendre le pouvoir de guérison de l'Amour à tous ceux qui nous entourent. **La guérison vient d'un sentiment d'unité.**

De même que la paix intérieure est notre seul but, le pardon est notre seul outil. Lorsque nous acceptons aussi bien notre objectif que son instrument, notre voix intérieure devient notre seul guide vers l'accomplissement. Nous sommes délivrés et pouvons délivrer les autres de la prison des perceptions illusoires et déformées. Nous pouvons nous rassembler avec eux dans l'unité de l'Amour.

Aimer c'est se libérer de la peur. »

Dr Gerald Jampolsky, *Aimer, c'est se libérer de la peur,*
Editions Soleil, 1988.

Ensuite viennent deux mots magiques : « **Merci, je t'aime.** » Le remerciement lance un merci à la Vie de me montrer ce que j'ai à nettoyer, mais aussi merci aux mémoires erronées de se manifester dans ma vie et de me donner ainsi l'opportunité d'en prendre conscience et de les libérer. Et bien sûr, je dis merci à Dieu et je Lui exprime toute ma gratitude.

Le « je t'aime » est adressé à Dieu, à nous-même et aux mémoires erronées. Mais aussi, c'est par l'amour et uniquement par l'amour que nous allons pouvoir les transmuter en lumière. Ainsi, le « pardon » va ouvrir le cœur. Le « Merci, je t'aime » va permettre à la lumière divine d'entrer en nous et de transmuter les émotions et les pensées négatives attachées aux mémoires erronées. Puis, une fois que ces énergies ont été transmutées, nous ressentons une immense paix intérieure. Et dans le vide qui vient de se former, dans cet espace sans limites, nous allons pouvoir accueillir l'inspiration. Celle-ci va venir directement de la partie divine qui se trouve à l'intérieur de nous.

C'est ainsi que nous découvrons que nous ne faisons qu'un avec notre environnement. Il n'y a pas de séparation, comme nous avons tendance à le considérer, entre nous et ce qui nous entoure. Ceci constitue une nouvelle façon d'appréhender la vie. Car lorsque l'on accepte cette évidence, et lorsqu'on la vit en assumant toutes les conséquences de cette pensée, tout devient simple. On est libre et surtout, on peut tout faire de sa vie.

**Le petit plus**

Pour résumé, il serait possible de dire :

**Désolé** : je ne savais pas que j'avais cette mémoire en moi.

**Pardon** : à la Vie, à moi-même.

**Merci** : de m'avoir indiqué le problème que je portais, sans le savoir.

**Je vous aime tous** : la Vie, mon environnement, les personnes autour de moi, mes mémoires erronées, sans oublier... moi-même.

# Le processus de transmutation

Pour que l'alchimie de la guérison des mémoires se produise, il n'y a rien d'autre à faire que de passer le relais à la Vie ou à Dieu, dans l'amour et la confiance. La transmutation se fera alors d'elle-même. On peut voir 3 étapes dans ce processus :

## 1. Reconnaître son pouvoir créateur

Nous devons simplement reconnaître que l'origine du trouble dans notre vie vient de nous-même et uniquement de nous-même. Car bien sûr, si nous considérons que le problème vient de quelqu'un d'autre, nous ne pourrons pas le transférer.

Nous devons reconnaître que nous sommes le créateur de tout notre univers, de toute notre réalité. C'est souvent difficile de penser que nous sommes assez puissants pour réaliser une telle prouesse... Et lorsque nous avons accepté cela, nous pouvons avoir un peu le vertige et déclencher un mécanisme de peur instinctive.

Cela correspond parfaitement au merveilleux texte de Marianne Williamson, qui

**Créateurs de notre réalité**

fut repris par Nelson Mandela au moment de son investiture.

## Extrait
### Notre peur la plus profonde

« Notre peur la plus profonde
n'est pas que nous ne soyons pas à la hauteur,
notre peur la plus profonde
est que nous sommes puissants au-delà de toutes limites.
C'est notre propre lumière
et non notre obscurité qui nous effraye le plus.
Nous nous posons la question...
Qui suis-je, moi, pour être brillant,
radieux, talentueux et merveilleux ?
En fait, qui êtes-vous pour ne pas l'être ?
Vous êtes un enfant de Dieu.
Vous restreindre, vivre petit
ne rend pas service au monde.
L'illumination n'est pas de vous rétrécir
pour éviter d'insécuriser les autres.
Nous sommes nés pour rendre manifeste
la gloire de Dieu qui est en nous.
Elle ne se trouve pas seulement chez quelques élus,
elle est en chacun de nous,
et, au fur et à mesure que nous laissons briller notre propre lumière,
nous donnons inconsciemment aux autres
la permission de faire de même.
En nous libérant de notre propre peur,
notre puissance libère automatiquement les autres.

Marianne Williamson : *A Return to Love, Reflections on the Principles of A Course in Miracles*, Harper Collins, 1992. Traduction française : *Un retour à l'amour, Manuel de psychothérapie spirituelle : lâcher prise, pardonner, aimer*, J'ai lu, 2006.

La prise de conscience que nous sommes à l'origine du problème rencontré dans notre vie constitue également une prise de responsabilité. Cela va à l'encontre de ce qui est enseigné généralement et aussi de la façon dont il nous a été enseigné de vivre. Car nous avons été habitués à être « pris en charge » par nos parents d'abord, puis par nos maîtres à l'école, par les assurances maladie, par notre médecin, par notre psy ou notre thérapeute, par notre patron ou notre directeur... Aussi, il est souvent difficile de reprendre la direction de notre vie et de reconnaître que nous avons en nous des pouvoirs illimités.

Cependant, il ne faut pas se leurrer. Même lorsque nous nous laissons conduire, nous sommes toujours le créateur inconscient de ce qui se passe dans notre vie, alors que nous aurions tendance à dire que ce sont « les autres ».

Il est vrai que les créations qui viennent des mémoires erronées ne sont pas toujours faciles à accepter. Cependant, tant que nous ne les reconnaissons pas comme nôtres, nous ne pourrons rien y changer. Ainsi, reconnaître son propre pouvoir créateur est le premier pas – indispensable – pour retrouver l'autorité intérieure qui doit être

**2**

**Créateur conscient ou inconscient ?**

la nôtre afin de commencer à créer autre chose que des situations désagréables.

Actuellement, les énergies changent dans le monde. Elles semblent s'accélérer. Cela va avoir pour conséquence de raccourcir le délai entre le moment d'émission d'une pensée et sa matérialisation, ce qui va rendre cette dernière de plus en plus évidente pour tout le monde.

De même, afin de pouvoir au mieux nous adapter aux nouvelles énergies, il est très important de nous libérer de tout ce qui peut polluer notre pensée, c'est-à-dire de toutes ces mémoires inconscientes qui viennent sans cesse déformer notre perception, notre façon de penser et par conséquent nos créations.

## 2. Passer le relais

**Transfert de pouvoir**

Cette étape correspond à un transfert de pouvoir. Ce processus entraîne un changement d'attitude à 180°. Nous cessons de nous laisser guider par nos mémoires erronées (nos peurs, nos jugements, nos croyances limitantes) et nous confions notre vie à notre être supérieur (ou à notre âme) qui sait mieux que le mental ce qu'il convient de faire, mais aussi ce qui est bon pour nous.

Au départ, l'important est de prendre conscience de qui nous sommes. Or, nous ne sommes pas nos mémoires. Nous sommes tout au contraire des êtres divins. Aussi allons-nous nous adresser à cette partie spirituelle de nous-même, à cette partie qui vibre en nous à une fréquence très élevée et qui est pur amour. Elle n'a aucune limite. C'est notre partie divine. Elle va faire le travail de libération. Car elle n'est en aucune manière affectée par nos mémoires. Mais pour cela, il faut que nous le lui demandions. Il faut lui demander expressément de nous libérer de nos chaînes qui nous emprisonnent dans de vieux schémas depuis trop longtemps.

En quelque sorte, il se déroule un changement de chef d'orchestre. Nous donnons congé à notre ancien chef d'orchestre – les mémoires répétitives – pour nommer un nouveau chef d'orchestre – notre partie divine – qui va parler à travers notre être supérieur et faire le nettoyage.

## 3. Lâcher les attentes

Cette étape consiste à... ne plus rien faire. Étrangement, c'est peut-être là le plus difficile, tellement nous avons l'habitude de

tout contrôler et de vouloir tout comprendre en cherchant des explications à tout.

Il n'y a rien à changer à l'extérieur, tout se trouve à l'intérieur de nous. Une fois cela accepté et confié le nettoyage à Dieu, le mental n'a plus rien d'autre à faire. Il n'y a même pas besoin de comprendre comment cela se passe ni quelle mémoire est en jeu. Il suffit simplement de s'abandonner en toute confiance dans les mains de notre divinité et de permettre à Dieu d'agir à travers nous. Ce lâcher-prise n'est pas toujours évident. Mais la pratique le rend de plus en plus simple.

Nous devons faire confiance à la vie, mais aussi être sûrs que la meilleure solution nous sera apportée et qu'elle ne sera pas toujours – pas souvent – la solution attendue/espérée. Mais cela n'est pas important parce que ce sera toujours une surprise agréable. Il convient ici de faire acte de foi en son être intérieur pour trouver la meilleure solution à ses problèmes.... C'est le « saut de la foi ». Nous pouvons cesser de nous accrocher et laisser les choses se faire toutes seules. Nous devons donner la permission pour que cela se fasse. Ceci implique que nous lâchons également toute attente spécifique par rapport au résultat.

Ainsi, quand nous nous sentons prisonniers dans le filet de nos mémoires, nous n'avons qu'une seule chose à faire : nettoyer, nettoyer, nettoyer... Parce qu'en nettoyant, nous savons que nous allons pouvoir accéder à un autre niveau de notre évolution. Ce sont les mémoires qui nous retiennent dans la boue de nos vieux schémas. Une fois libérés de nos mémoires erronées, un espace vide va se créer à l'intérieur de nous, un lieu sans attente, où nous allons pouvoir recevoir intuitions et inspirations.

Avant de clore ce paragraphe, il est important de souligner qu'avec Ho'oponopono, **il n'est absolument pas nécessaire de savoir quelle mémoire est erronée pour qu'elle soit définitivement effacée**. Cette notion va à l'encontre de toutes les bases de la psychologie et de la psychiatrie modernes qui insistent pour que la personne décortique son conflit, en découvre la nature, en établisse les origines et trouve en elle les moyens de le surmonter. Cette méthode, qui a montré son efficacité, demande cependant beaucoup d'efforts et d'assiduité. Elle nécessite souvent des mois voire des années de thérapie avant d'arriver enfin à la solution. Ho'oponopono en est, en quelque sorte, un raccourci. Il peut résou-

**Nettoyer nettoyer nettoyer !**

dre le conflit en quelques instants, sans avoir besoin d'en connaître l'origine, ce qui apportera immédiatement une transformation chez la personne et son entourage.

**ATTENTION**

Ho'oponopono ne remplacera jamais la psychothérapie ni la psychiatrie dans les pathologies graves, mais il peut les compléter.

## Accueillir l'inspiration

Le mot inspiration vient du latin *in spiritum* qui signifie « l'Esprit en soi » – certains y voit la présence de Dieu. L'inspiration vient directement de cet Esprit (avec un grand E). Ce n'est pas quelque chose qui arrive à travers la réflexion.

Dans l'Antiquité, l'opinion considérait que l'inspiration des artistes émanait de l'Esprit de Dieu. De même, de nombreuses découvertes sont connues comme étant le fruit d'une inspiration. L'inspiration arrive souvent de façon inattendue... et précisément quand nous n'attendons rien, quand nous sommes sans attente. Nous avons tous plus ou moins expérimenté ce phénomène. Il suffit de cesser toute recherche de solution pour qu'elle nous apparaisse quand nous l'attendons le moins. Le vide de l'esprit est l'état dans lequel l'inspiration va pouvoir se manifester.

Ce processus s'oppose à l'intention, du mot latin *intentio* qui signifie « action de diriger ». Elle est la marque de la volonté qui est dirigée par le mental derrière lequel se cachent... les mémoires ! Ainsi, lorsqu'une personne fonctionne dans la volonté, ce sont ses mémoires qui la dirigent. Elles sont le fruit de données anciennes qui appartiennent au passé, alors que l'inspiration apporte des idées nouvelles auxquelles la personne n'avait jamais pensé auparavant. L'inspiration est une information limpide, neuve.

Or, si avec l'intention, il est possible d'obtenir des résultats, avec l'inspiration, ce sont des miracles qui surviennent. Lorsqu'une personne reçoit une inspiration, elle va généralement la réaliser sans même réfléchir, parce qu'elle sent au fond d'elle-même que cette inspiration est « juste ». De plus, elle se sent envahie par une paix intérieure. Toutes les parties de son être sont en harmonie. Et elle sait, sans qu'aucune preuve lui soit nécessaire, que c'est la voix intérieure de son être supérieur qui lui parle.

**Limpidité
Justesse
Paix intérieure**

Il est important de prendre conscience de cet état de bien-être général, d'abord parce qu'il conforte l'idée que nous sommes sur la bonne voie, c'est-à-dire que nous sommes bien en train de nous libérer de nos vieux schémas, de nos entraves, mais aussi que notre être intérieur se sent libre et heureux. Nous sentons rayonner à l'intérieur, mais aussi à l'extérieur de nous-même, un sentiment d'amour immense et très chaleureux, ce qui nous donne une impression d'unité...

Cet état est la preuve, s'il en était encore besoin, que nous sommes bien en train de nous libérer de notre passé pour reprendre notre chemin d'évolution.

# 3. Ho'oponopono en pratique

NETTOYER
LÂCHER PRISE
ACCUEILLIR

Il est très facile d'apprendre à transmuter ses mémoires erronées en énergies de lumière.

# Une séance de nettoyage

Pour commencer une opération de nettoyage avec Ho'oponopono, il est toujours bon de rappeler les **trois étapes du processus de guérison** :

1. Prendre conscience que nous sommes à **100 % créateurs de notre vie.** C'est essentiel parce qu'il n'est possible de changer que ce qui est en notre pouvoir et donc ce qui est à l'intérieur de nous. Même s'il y a en face de nous quelque chose qui ne nous plaît pas, il faut reconnaître que c'est notre création. Ce sont mes pensées, guidées par mes mémoires qui ont créé la réalité que j'ai en face de moi.

**Responsabilité
Connexion
Lâcher-prise**

2. Ensuite, faire une introspection. Cela consiste à se connecter à son être supérieur et à travers lui, à **demander à sa divinité intérieure** de transformer en lumière les pensées erronées et les programmes inconscients qui ont créé les problèmes dans notre vie. Nous pouvons utiliser les mots : « Désolé, Pardon, Merci, Je t'aime » (ou d'autres outils de nettoyage qui seront présentés plus loin).

3. Enfin, **lâcher toute attente particulière**, c'est-à-dire accepter que les solutions ne nous appartiennent pas, parce que lorsque nous avons des attentes, nous met-

tons des limites. Les attentes sont envoyées par le mental qui veut tout contrôler, et qui est lui-même commandité par des mémoires. De plus, mon être supérieur sait mieux que moi ce qui est bon pour moi. Il est donc important de procéder à un abandon dans une confiance totale en la volonté divine. Ce n'est pas toujours aisé, parce que nous avons tendance à le commander et à vouloir contrôler. Mais en fait, c'est une illusion de penser cela. Car nous devons prendre conscience que **nous n'avons aucune idée de ce qui se passe autour de nous, à chaque instant**. Nos organes sensoriels reçoivent des milliers de données par seconde et notre conscient ne peut en traiter que quarante. Comment peut-on prétendre contrôler la réalité avec une perception aussi réduite ? Tout se passe en fait au niveau inconscient, même les psychiatres le reconnaissent. Quand on comprend cela, il est plus facile de lâcher prise et de s'abandonner à l'intelligence divine.

**Le petit plus**

Ho'oponopono pourrait se résumer simplement par la responsabilisation à 100 %, par l'intention de nettoyer, par l'amour et par le lâcher-prise. *Responsabilité, amour et abandon dans la foi.* C'est ainsi que nous allons retrouver notre véritable identité.

Quelques autres points méritent d'être rappelés avant de commencer une séance.

– Avoir bien conscience que l'on n'a aucune idée de ce qui se passe dans le présent. Il y a beaucoup de choses qui se déroulent sans que nous en ayons la moindre conscience.

– Il n'est pas possible de tout contrôler. C'est la clé pour faire confiance à notre intelligence divine. C'est comme cela que commence le vrai lâcher-prise.

– Tout est possible. Tout peut être guéri. Tout ce qui est sur notre route, simplement par le fait que c'est sur notre route, peut être nettoyé.

– La clé pour atteindre le « zéro limite », c'est de dire « Je t'aime ». C'est cette énergie d'amour qui va transmuter toutes les mémoires. Il faut donc aimer ses mémoires, aimer ses problèmes ainsi que tout ce que l'on a en face de soi. C'est ainsi que l'on va pouvoir expérimenter le Dieu qui est en soi.

– L'inspiration est plus importante que l'intention. Il faut lâcher toute attente par rapport au résultat. En faisant le vide, l'inspiration va pouvoir se manifester.

Ceci étant posé, il est possible de commencer la séance.

1. **Pensez à votre problème**. Cela peut être un problème relationnel, un problème physique (une douleur ou autre chose), un problème matériel, financier ou professionnel.

2. **Accueillez le problème et entrez à l'intérieur de vous**. Prenez contact avec votre être supérieur, avec votre divinité intérieure.

3. **Faites la respiration « Ha ».** Elle permet d'effectuer le nettoyage, mais aussi d'établir la connexion avec sa divinité intérieure.

Les pieds sur le sol, le dos bien droit, vous faites les quatre étapes de la respiration suivante : inspirez, retenez l'air, expirez, bloquez la respiration, en comptant jusqu'à 7 à chaque étape. Répétez neuf fois ces mouvements respiratoires. Vous pouvez aussi rassembler l'index et le pouce de chaque main, en formant deux cercles entrelacés (signe de l'infini) pendant tout l'exercice.

**« Let go and let God »**
**(L. Levenson)**

3

4. Repensez à votre problème et répétez :

*Désolé.*

*Pardon.*

*Merci.*

*Je t'aime.*

Ensuite, il suffit de laisser faire Dieu pour le grand nettoyage.

### ✚ Le petit plus

Ouvrez votre cœur et répétez ces paroles :

« *Merci, je t'aime. Désolé, je ne savais pas qu'il y avait en moi ces mémoires qui ont créé ce problème. Pardon.* »

Puis, posez-vous cette question :

« *Qu'est-ce que j'ai en moi qui est en train de créer ce problème ? Je suis prêt à le libérer. Merci. Je t'aime parce que tu es dans ma vie et que c'est une occasion de pouvoir libérer ces programmes inconscients. Merci. Je t'aime.* »

Puis, adressez-vous à vous-même, aux mémoires et à Dieu qui est en vous, parce que c'est l'énergie de l'amour qui va opérer la transmutation.

« *Désolé, Pardonne-moi. Je ne savais pas que j'avais ça en moi. Merci, je t'aime.*

« *Je demande à Dieu qu'il prenne toutes ces mémoires, toutes ces énergies négatives, toute cette souffrance, tous ces ressentiments et qu'Il les transmute en pure lumière.*

« *Pour qu'ainsi, je puisse recevoir l'inspiration et retrouver ma propre identité.*

« *Désolé, Pardon, Merci, je t'aime.*

« *Désolé, Pardon, Merci, je t'aime.*

« *Désolé, Pardon, Merci, je t'aime.*

« *Désolé, Pardon, Merci, je t'aime.*

« *Désolé, Pardon, Merci, je t'aime.*

« *Désolé, Pardon, Merci, je t'aime.*

« *Désolé, Pardon, Merci, je t'aime.*

« *Désolé, Pardon, Merci, je t'aime.*

« *Désolé, Pardon, Merci, je t'aime.*

« *Désolé, Pardon, Merci, je t'aime.*

« *Désolé, Pardon, Merci, je t'aime.* »

5. Accueillez **l'inspiration**.

L'inspiration vient toujours toute seule. Il ne faut rien attendre ni rien demander. Si vous avez des idées qui viennent, des choses auxquelles vous n'aviez jamais pensé, vous reconnaîtrez alors facilement l'inspiration. Elle vient de votre être supérieur, de la divinité qui est en vous. À ce moment-là, vous pouvez la suivre et agir en suivant ses indications, parce qu'elles sont justes.

**Lâcher les attentes, accueillir l'inspiration**

# Les bénéfices de la pratique de Ho'oponopono

Les bénéfices sont infinis et touchent tous les aspects de notre vie et de notre personnalité. Il est tout de même possible d'en faire ressortir les éléments principaux.

## Il rend notre vie plus légère et fluide

Ho'oponopono est un dépouillement dans le bon sens du terme. À mesure qu'il est pratiqué, nous constatons rapidement que c'est une excellente façon de lâcher ces valises qui alourdissent notre vie. Car si tout problème rencontré est transformé en opportunité de libération, il devient rapidement évident qu'à chaque nettoyage, une partie des fardeaux supportés dans l'existence s'allègent.

Nous sommes parfois surpris de voir notre réaction exagérée face à un événement donné et nous nous demandons pourquoi. En fait, cela arrive parce que l'événement fait écho à quelque chose qui a déjà été vécu. Cette mémoire est alors réactivée et induit cette réaction exagérée. Il convient d'y apporter une solution. Ho'oponopono nous permet ainsi de nous libérer de tous les boulets que nous traînons aux pieds. Le résultat n'est pas toujours évident au début, mais peu à peu, nous nous sentons plus légers et plus heureux.

Ainsi, pour voyager confortablement tout au long de notre existence, il est conseillé de voyager léger et d'abandonner tous les vieux programmes, les vieux conflits, les vieilles mémoires qui encombrent notre cerveau et notre vie. Telles des montgolfières, nous monterons alors de plus en plus haut, de plus en plus près du soleil, à mesure que nous lâcherons du lest...

## Il permet de garder le cap

Ho'oponopono permet de revenir sur son véritable chemin de vie et de redresser la barre quand on s'en était éloigné. Chaque fois que nous rencontrons un problème, tout notre être se focalise sur lui et nous en oublions tout le reste. Et plus nous nous focalisons sur notre problème, plus celui-ci prend de l'importance dans notre vie et plus il grandit. Il faut au contraire faire comme les pilotes de course professionnels qui ne regardent jamais le virage, mais « après » le virage, dans la direction où ils veulent aller. La voiture suit toujours leur regard.

Grâce à Ho'oponopono, nous posons notre attention non pas sur le problème mais sur le nettoyage de la mémoire. C'est la seule chose qui importe et du coup, le problème va disparaître ou du moins, il va perdre de son importance. L'énergie va se déplacer car elle va là où nous mettons notre attention.

**Voyager léger**

**Garder le cap**

3

## Il permet de se recentrer

Ho'oponopono permet de demeurer fidèle à soi-même et de rester bien campé sur son être profond. Il permet aussi de se recentrer ou de se recadrer lorsque cela est nécessaire. Lorsque nous croyons que la source de notre problème est à l'extérieur, cela nous déstabilise forcément, le poids se trouvant à l'extérieur de nous-même. Ho'oponopono va nous permettre de recadrer ce point de vue en remettant l'axe d'action à l'intérieur. Nous cessons alors de donner tout le pouvoir aux autres et aux circonstances extérieures, pour le remettre à l'intérieur de nous-même. Du coup, avec l'axe dans notre centre, nous allons être beaucoup plus stable face aux aléas de la vie.

## Il permet de retrouver sa véritable identité

Nous avons plein de couches, de croyances, de mémoires, de circuits qui nous éloignent de notre véritable identité. Ils sont à l'origine des rôles différents que nous jouons dans la vie : rôle de fille soumise, rôle de bon élève, rôle de mère parfaite, ou plus simplement rôle d'époux, d'épouse, de parents, d'enfants... Même le métier n'est qu'un rôle.

Tous ces rôles sont aussi le résultat de programmes inconscients et de mémoires. Ho'oponopono, en enlevant petit à petit ces couches de déguisement, va nous permettre de découvrir qui nous sommes en réalité. Ceci ne veut pas dire que nous allons tout changer ou tout arrêter, mais simplement que nous n'allons plus nous identifier à ces rôles, mais bien à notre être véritable.  Nous ferons les choses parce que nous désirons les faire et non plus pour répondre au rôle que nos mémoires nous avaient fixé.

## Il permet de trouver la paix intérieure

La paix est l'absence de conflit et l'absence de dualité. Grâce à Ho'oponopono, nous allons créer l'unité à l'intérieur de nous-même. Il n'y a plus de conflit entre l'extérieur et nous, puisque tout est à l'intérieur. Il n'y a plus de lutte. Nous acceptons que l'extérieur ne soit qu'une émanation de notre intérieur, car tout est un... mais aussi, nous acceptons que nous en sommes les créateurs et que tout peut être transformé par l'amour. C'est une alchimie intérieure qui va se produire.

**L'alchimie de l'amour**

### Il permet de développer l'humour

Parfois, nous allons rencontrer tellement de problèmes ou des problèmes tellement gros que nous aurons du mal à croire que nous en sommes les créateurs. Lorsque l'on est bien imprégné par Ho'oponopono, cela en devient risible et souvent, on se demande : « Comment ai-je pu inventer une situation aussi tordue ? » Il est même possible d'en rire parce qu'en fait, nous avons déjà développé une confiance inébranlable dans le processus de guérison de Ho'oponopono. Aussi, nous avons une confiance absolue dans le nettoyage qui va bientôt s'opérer. Enfin, en allant plus loin, plus les événements sont importants, plus les mémoires qui s'y rattachent sont puissantes et plus le nettoyage qui va se produire va être bénéfique pour notre évolution personnelle... et plus notre soulagement sera grand !

# Outils de nettoyage

Ces outils sont proposés par le Dr Len.

## La prière de Morrnah

*« Divin créateur, père, mère, fils,
tous en un...
si moi, ma famille, mes proches
ou mes ancêtres vous avons offensés,
vous, votre famille, vos proches
et vos ancêtres, par des mots
ou des actions
depuis le début des temps
jusqu'à nos jours,
nous vous demandons pardon...
Nettoyons, purifions, relâchons,
supprimons toutes ces mémoires
négatives,
blocages, énergies et vibrations
négatives
et transmutons ces énergies
non désirées en pure lumière...
Et ainsi soit-il ! »*

## La respiration Ha

Voir p. 67, point n° 3.

## L'eau bleue solaire

Boire beaucoup d'eau est une bonne façon de nettoyer. Le Dr Len conseille l'eau bleue solaire.

**Le petit plus**

Pour préparer une eau bleue solaire, prenez une bouteille bleue en verre, remplissez-la d'eau, prenez soin de mettre un bouchon qui ne soit pas métallique. Mettez-la au soleil pendant une heure. Boire cette eau permettrait de nettoyer les mémoires.

### Le verre d'eau rempli aux deux tiers

Écrivez sur un papier, à l'intérieur d'un cercle, votre problème ou la situation qui vous préoccupe. Ensuite, remplissez un verre aux deux tiers avec de l'eau et posez-le sur le papier au centre du cercle. L'eau du verre va se charger des mémoires en rapport avec ce problème. Pensez à changer l'eau au moins deux fois par jour (matin et soir).

Tous ces outils sont des déclencheurs du processus de nettoyage et rien d'autre. Ils proposent différentes manières de porter son attention non sur le problème mais sur la solution, et surtout de contacter la partie divine qui est en chacun de nous et de lui dire : « Je suis prêt à lâcher, merci d'effacer ces mémoires en moi. »

# Créer ses propres outils

Il est possible à chacun d'entre nous d'inventer ses propres outils. Voici quelques exemples.

## La douche d'amour ou la pluie d'amour

Visualisez-vous sous une douche d'amour qui nettoie les mémoires vous enfermant dans votre problème.

## La respiration consciente

– Lors de l'inspiration : visualisez l'entrée en vous de l'énergie de l'Univers avec l'air inspiré.
– Lors de l'expiration : visualisez l'élimination des mémoires erronées ou des vieux programmes inconscients qui ne sont plus utiles avec l'air expiré.

## Les « post-it » posés partout

Vous écrivez dessus :
*« Merci, je t'aime »*, *« Je nettoie »* ou encore *« Je suis 100 % créateur. Pardon et merci de nettoyer. »*

## Le jeu de cartes Ho'oponopono

Il existe un jeu de cartes qui reprend chacun des points importants de Ho'oponopono. Chaque carte représente une clé qui ouvre la porte à la magie de cette pratique. Vous trouverez toutes les informations sur ce jeu à la fin du livre.

# 4. Ho'oponopono au quotidien

LE RÉFLEXE
HO'OPONOPONO

Les champs d'application de Ho'oponopono sont infinis. Vous trouverez dans ce chapitre quelques exemples concrets, tirés de notre expérience de tous les jours.

Rappelons un élément essentiel dans la pratique de Ho'oponopono : ne soyez pas à la recherche de résultats miraculeux ou de solutions précises, mais demeurez plutôt à l'écoute de votre état intérieur. Si vous sentez que vous êtes un peu plus calme et serein, c'est le signe que le nettoyage a déjà commencé. Vous constaterez bien souvent que vous avez oublié le problème initial... simplement parce que vous serez déjà passé à autre chose.

## Un problème relationnel

Si vous êtes en conflit avec une personne ou bien, tout simplement, si elle vous dérange, c'est parce que vous avez une mémoire ou des mémoires qui sont en train de se manifester à travers elle. Remerciez cette personne de vous donner l'opportunité de nettoyer ces mémoires dont vous n'aviez pas conscience – souvenez-vous de la métaphore de la tache sur le visage. Acceptez la responsabilité à 100 % de ce que vous vivez et demandez à Dieu de vous aider à nettoyer ces mémoires, tout en laissant faire et sans attente particulière par rapport au dénouement de la situation.

**Accepter ce qui vient**

Acceptez tout ce qui vient et profitez de l'occasion qui vous est donnée pour développer votre amour inconditionnel envers cette personne. Pardonnez-vous et aimez-vous dans votre totalité.

Par exemple, « j'ai un différend avec mon mari, sur un sujet précis. » Je sais que j'ai raison ! Je n'ai aucun doute là-dessus. C'est toujours comme ça, en cas de conflit : nous croyons toujours avoir raison et pensons que c'est la faute de l'autre. Alors, que puis-je faire ? Lui donner tous les arguments pour le convaincre que j'ai raison ? Faire du chantage pour qu'il abonde dans mon sens ? C'est ce que j'ai fait toute ma vie et ça ne marche pas ! Si je reste sur cette position, je suis bloquée. Je ne peux rien faire.

Alors, je décide de faire autre chose. Je vais corriger mes pensées qui me font voir la situation comme un problème. Parce qu'en définitive, qu'est-ce qui est mieux : être heureux ou avoir le sentiment d'avoir raison ? C'est alors que j'accepte que ce différend soit ma création à 100 %. Je développe la paix et l'amour dans mon cœur et je pense : « Je te demande pardon, je ne sais pas ce qui en moi a créé cette situation. Merci de me le montrer. Je t'aime. »

Ensuite, je confie à Dieu le nettoyage de ces mémoires erronées sans être dans l'attente par rapport au résultat. Et ô merveille ! Mon mari revient me voir et me dit

4

que finalement, j'avais peut-être raison. Et moi… je ne me souviens même plus de quoi il s'agissait !

## Un problème financier

Si vous rencontrez des difficultés financières, c'est que vous avez des mémoires erronées en relation avec l'argent. Faire Ho'oponopono va permettre de nettoyer ces mémoires. Lorsque les mémoires seront nettoyées, des réponses ou des compréhensions apparaîtront. Ces nouvelles idées, sources d'inspiration, proviennent de votre Moi supérieur. À ce moment-là, il faudra passer à l'action, tout sachant qu'il s'agit de l'action juste.

Parce que Ho'oponopono a permis de lever le voile qui vous empêchait d'accéder à tout votre potentiel.

Quand vous êtes aveuglé par vos mémoires erronées, vous ne pouvez pas accéder à de nouvelles compréhensions, à de nouveaux schémas de fonctionnement… vous vous limitez tout seul.

## Une difficulté dans la vie

Par exemple, vous n'arrivez pas à faire quelque chose dans votre vie et vous vivez cela comme une limite. Vous avez donc une mémoire en vous qui est en train d'agir sur cette facette de votre vie. Vous commencez par vous dire :

« J'accepte le fait d'être le créateur de cette difficulté. »

Vous ne vous battez plus contre cette difficulté mais au contraire, vous la remerciez d'être là et de vous donner l'opportunité de la transformer. Vous commencez par l'aimer. « Merci, je t'aime. Je te demande pardon. Je ne sais pas ce qui, en moi, a créé cela dans ma vie. »

Puis, vous plongez à l'intérieur de vous et vous vous adressez à votre être supérieur pour qu'il transmute cette mémoire.

Aimez cette mémoire, aimez cette limite. Pardonnez-vous. Remerciez, parce que maintenant vous allez pouvoir la libérer. Et lâchez. Laissez faire.

« Merci. Je t'aime. Désolé. Pardon, je ne savais pas. Merci, parce que aujourd'hui je vais pouvoir te nettoyer. Je t'aime. »

Comme par hasard, vous allez voir arriver dans votre vie des situations où vous pourrez développer votre capacité à faire des choses auxquelles vous n'aviez jamais pensé. Ou encore vous allez rencontrer des personnes qui vont vous aider... les chemins de l'inspiration sont illimités.

**Les chemins de l'inspiration sont illimités**

**4**

# Une dépendance

Une dépendance est la manifestation d'une mémoire... une mémoire de manque que la personne – qui crée la dépendance – veut combler. Il convient de toujours commencer par aimer et accepter cette dépendance. Car « *tout ce à quoi on résiste, persiste* » ! C'est pourquoi il faut l'aimer mais aussi aimer notre enfant intérieur qui est en souffrance et qui essaie de combler sa souffrance par l'alcool, le tabac, la drogue ou le chocolat... voire aussi par une personne.

Ensuite, il faut demander à son Moi supérieur et à travers lui à Dieu, de nettoyer les programmes, les pensées erronées qui sont en nous et qui sont responsables de cette dépendance, et répéter souvent : « Merci, je t'aime. »

Par la suite, la personne devra accueillir les inspirations qu'elle recevra et qui seront des aides :

**Aimer son enfant intérieur**

– soit pour son sevrage ;

– soit pour trouver des solutions qui vont combler son manque ;

– soit encore des indications pour renforcer son identité et ainsi l'aider à accéder à des niveaux supérieurs qui lui permettront de sortir de ce comportement gênant.

Ainsi, les chemins sont variés et diffé-rents pour chaque personne. Ho'oponopono nous apprend à nous aimer, à prendre soin de nous et à acquérir la patience – et d'abord la patience envers nous-même.

# La préparation à un événement

Ho'oponopono peut nous permettre de nous préparer à un événement important, que nous espérons et/ou que nous redou-tons :
- un rendez-vous de travail ;
- un rendez-vous amoureux ;
- une réunion importante ;
- un mariage, une naissance, une fête, un anniversaire ;
- un voyage.

Le but est de nettoyer à l'avance toutes les mémoires attachées aux personnes qui vont participer à l'événement, et aussi toutes celles en rapport avec l'événement lui-même. En même temps que nous net-toyons, nous *lâchons toutes les atten-tes* que nous pourrions avoir concernant cet événement. Ainsi, nous serons en paix quoi qu'il arrive... et ce qui arrivera sera de toutes façons bien et même parfait !

Avec la pratique, il est facile d'intégrer cette habitude dans son quotidien à chaque instant, pour tout ce qui va se produire. Ainsi, un nettoyage de nouvelles mémoires erronées est sans cesse effectué.

Voici un exemple concret : un couple devait recevoir une personne venant d'un pays étranger. Ils étaient heureux de l'accueillir pour des raisons personnelles et professionnelles. Pendant le trajet pour l'aéroport, ils ont fait Ho'oponopono. C'était devenu une habitude pour eux. Cela leur permettait de se recentrer et de rester toujours en paix. Une fois à l'aéroport, ils ont découvert que le vol de la personne avait été annulé. C'était le seul vol annulé de la journée, sans aucune explication. Ils n'avaient aucun moyen de contacter la personne et elle ne les avait pas non plus appelés.

**Tout est parfait**

Ce qui les a surpris dans cet épisode, c'est la façon dont ils sont restés calmes, sans aucune difficulté. Aucune inquiétude, ni déception, ni frustration ne s'est manifestée, malgré le fait qu'ils venaient de faire plus de 4 heures de voiture pour rien.

C'est cela, le but de Ho'oponopono : créer une paix à l'intérieur de soi-même en toute circonstance. Le nettoyage avant un événement va faire lâcher toutes les attentes, ce qui permet de rester soi-même quels que soient les événements et d'accueillir ce qui vient les bras ouverts. En vivant les choses de cette manière, sans aucune attente, nous restons en contact avec notre divinité intérieure et ainsi, des miracles peuvent se produire, des choses que nous n'aurions jamais imaginées.

## Un problème de surpoids

Fréquemment, lorsqu'une personne a pris quelques kilos, elle commence à remarquer davantage les autres qui sont en surpoids. Si elle n'avait pas le problème en elle, il est fort possible qu'elle ne le remarquerait pas chez les autres, ou en tout cas que cela ne la toucherait pas. Aussi, si votre attention se pose sur les petits bourrelets des autres, vous pouvez en déduire que vous avez quelque chose à régler avec ça.

Il est toujours intéressant de faire attention aux éléments sur lesquels se pose notre regard, parce que cela révèle des choses à nettoyer... Alors, quelle merveilleuse occasion de faire Ho'oponopono !

Il est important de se rappeler que nous sommes les créateurs à 100 % de ce surpoids. Ensuite, il faut les aimer, ces petits kilos en trop, ainsi que les mémoires qui s'y rattachent, les remercier d'être là et de se montrer. Et si nous arrivons à les aimer, à les trouver parfaits, alors c'est gagné ! Dire alors plusieurs fois : « Merci, je t'aime. Désolé. Je te demande pardon. »

Souvent, à partir de ce moment-là, la prise de poids n'est plus un problème pour la personne. Mais aussi, quelque temps plus tard, souvent sans même avoir cherché à suivre un régime particulier, la personne modifie son alimentation ou augmente ses activités physiques... Tout se met en place comme par magie !

## Le réflexe Ho'oponopono

Il est possible, et même conseillé, de faire Ho'oponopono pendant les activités quotidiennes, comme par exemple lors de la marche, en répétant les quatre phrases comme un mantra et en confiant tout ce que vous faites à votre Moi supérieur, sans avoir d'attente particulière.

Par exemple, lorsque nous marchons, de nombreuses pensées nous assaillent. Nous pensons à ce que nous allons faire ou à ce que nous avons fait. Pour chaque pensée qui arrive, il suffit de dire : « Merci, je t'aime, merci, je t'aime... » Et la voilà partie... Petit moment de paix. Puis, une nouvelle pensée arrive... « Merci, je t'aime. Merci, je t'aime... ». La paix s'installe à nouveau.

Avec le temps et la pratique, les moments de paix se feront de plus en plus longs et fréquents. Puis, des pensées nouvelles se feront jour, des inspirations, des intuitions apparaîtront à votre esprit... Accueillez-les avec attention et bienveillance.

## Ho'oponopono au coucher et au réveil

Faire un bon nettoyage avant de s'endormir est toujours utile. Il va éliminer toutes les mémoires en rapport avec les événements survenus et les personnes rencontrées pendant la journée. Pour cela, il est possible de revisionner sa journée comme un petit film qui défile dans sa tête et de répéter pendant ce temps le mantra de nettoyage, « Désolé, pardon, merci, je t'aime » pour chaque scène passée, pour chaque situation vécue et pour chaque personne rencontrée. Puis, il faut confier à son être supérieur tous les soucis du moment, en lâchant toutes ses attentes et accepter que tout est parfait

Il est possible de faire la même chose au réveil : après quelques respirations profon-

**Nettoyer avant de s'endormir**

4

des, nous nous connectons avec notre être supérieur et faisons Ho'oponopono pour tous nos projets, devoirs, obligations, rendez-vous et rencontres prévus pour ce jour-là.

**Une journée en parfaite harmonie**

En nous levant, nous lançerons un grand « merci » et lâcherons toutes nos attentes pour la journée. Enfin, nous affirmerons notre unité entre toutes les parties de notre être : subconscient, conscient, superconscient, divinité intérieure… et ainsi, nous passerons une journée en parfaite harmonie.

## Le nettoyage du corps

Cette méditation va effectuer un nettoyage complet de toutes les mémoires qui sont stockées dans votre corps.

– Allongez-vous ou asseyez-vous confortablement et prenez les dispositions pour ne pas être dérangé pendant quelques minutes (débrancher le téléphone, par exemple).

– Fermez les yeux et faites quelques respirations profondes.

– Portez votre attention sur vos pieds. Vous demandez alors à ce que soient nettoyées toutes les mémoires qui sont stoc-

kées dans vos pieds. « Merci, je t'aime » à
répéter six ou sept fois.

– Portez votre attention successivement
sur les points suivants, en répétant chaque
fois « Merci, je t'aime » six ou sept fois :

- vos orteils, « *Merci, je t'aime, merci,
  je t'aime...* »
- vos chevilles, « *Merci, je t'aime, merci,
  je t'aime...* »
- vos mollets, « *Merci, je t'aime, merci,
  je t'aime...* »
- vos genoux, « *Merci, je t'aime, merci,
  je t'aime...* »
- vos cuisses, « *Merci, je t'aime, merci,
  je t'aime...* »
- vos hanches, « *Merci, je t'aime, merci,
  je t'aime...* »
- votre plexus solaire, « *Merci, je t'aime,
  merci, je t'aime...* »
- votre bas-ventre, « *Merci, je t'aime,
  merci, je t'aime...* »
- vos organes internes : votre foie, votre
  estomac, vos reins, vos intestins, votre
  vessie,« *Merci, je t'aime, merci, je
  t'aime...* »
- vos organes : votre cœur, vos poumons, « *Merci, je t'aime, merci, je
  t'aime...* »
- votre gorge, « *Merci, je t'aime, merci,
  je t'aime...* »

**4**

- votre cou, « *Merci, je t'aime, merci, je t'aime...* »
- vos mâchoires, « *Merci, je t'aime, merci, je t'aime...* »
- votre bouche, votre nez, vos yeux et vos oreilles, « *Merci, je t'aime, merci, je t'aime...* »
- votre tête entière, « *Merci, je t'aime, merci, je t'aime...* »
- toutes les cellules de votre corps, « *Merci, je t'aime, merci, je t'aime...* »
- toutes les cellules de votre sang, « *Merci, je t'aime, merci, je t'aime...* »
- votre peau, vos ongles et vos cheveux, « *Merci, je t'aime, merci, je t'aime...* »
- vos os, « *Merci, je t'aime, merci, je t'aime...* »
- tout votre corps, « *Merci, je t'aime, merci, je t'aime...* »

Accueillez les sensations que ce nettoyage vous procure en profondeur et remerciez.

**Merci
Je t'aime**

## Le nettoyage des liens familiaux

Il est très utile de se libérer des liens qui nous attachent aux membres de notre famille, parce qu'ils sont généralement plus forts et plus profonds que les autres. Ils nous emprisonnent et nous empêchent d'être nous-mêmes.

Aussi est-il nécessaire de faire Ho'oponopono avec nos enfants, avec nos parents mais aussi avec nos frères et sœurs ainsi qu'avec tous les membres de notre famille pour qui nous sentons un attachement particulier ou au contraire une aversion.

Nous libérer des attachements et des aversions, non seulement nous libère des autres, mais nous ouvre aussi à nous-même et permet à notre personnalité profonde de s'exprimer. Nous laissons la place à notre vraie nature qui est l'amour.

Ces liens familiaux sont à l'origine de nombreuses mémoires qui dirigent notre vie, cela de façon tout à fait inconsciente. Pour cette raison, même si nous n'en sentons pas le besoin, il est souvent libérateur de faire régulièrement Ho'oponopono avec chaque membre de notre famille. Nous nous libérons nous-même et nous libérons aussi les autres, pour qu'ils puissent suivre leur propre chemin d'évolution.

4

# 5. Un chemin d'évolution

LE DIVIN EN NOUS

Pour beaucoup de personnes, Ho'oponopono constitue un aboutissement après des années de tâtonnements et de recherches. Lorsqu'une personne découvre Ho'oponopono, le premier sentiment qu'elle ressent généralement est la profonde justesse de ce processus. Il est tellement simple et vrai à la fois qu'il n'y a rien d'autre à dire. Il ne reste qu'à le mettre en pratique.

# Victime, créateur, divin...

Ainsi, Ho'oponopono représenterait la dernière étape – au moins pour l'instant – du chemin d'évolution des êtres humains.

Joe Vitale dans son livre *Zéro Limite*[2], a parfaitement expliqué les différents stades de cette évolution.

– Le premier niveau consiste à se considérer comme une victime. Nous avons tous commencé notre vie à ce stade, en nous sentant impuissants et en croyant que le monde extérieur avait tout pouvoir sur nous. Nous nous considérions comme le résultat de ce monde extérieur.

**S'abandonner à sa divinité intérieure**

– Ensuite, nous avons appris que nous étions créateurs. À ce moment-là, nous avons commencé à vouloir tout contrôler. Pour cela, nous avons utilisé tous les moyens dont nous disposions : les visualisations, les affirmations, l'intention, la loi de l'attraction... Cette étape était nécessaire pour que nous prenions conscience de notre pouvoir créateur et sortions du rôle de victime. Nous devenions maîtres de notre vie.

---

2. Joe Vitale et Ihaleakala Hew Len, *Zéro limite*, Éditions Le Dauphin blanc, 2008.

– Enfin, nous prenons conscience qu'il y a en nous quelque chose de beaucoup plus grand... une vibration plus élevée, qui se situe à l'intérieur de chaque être et qui nous relie tous les uns aux autres. C'est notre partie divine. Nous commençons alors à prendre contact avec cette partie de nous, qui est illimitée. Et nous nous apercevons que nos intentions et nos désirs sont peut-être nos limitations. Nous comprenons alors que finalement il ne nous est pas possible de tout contrôler, et que si nous décidons de lâcher prise et de nous confier à notre Moi supérieur, les événements se déroulent beaucoup mieux, souvent d'une manière que nous n'aurions même pas imaginée. Cette étape commence par un lâcher-prise et se termine par un abandon dans notre divinité intérieure. Nous commençons à expérimenter la paix intérieure, la gratitude et l'émerveillement.

## Ho'oponopono et les thérapeutes

L'approche qu'offre Ho'oponopono est très utile pour toutes les personnes qui travaillent dans les soins et la relation d'aide, parce qu'elle permet de voir la thérapie d'une façon complètement différente. Elle oblige à sortir définitivement du terrible triangle « victime-bourreau-sauveur ».

La personne/le patient/le malade se sent la « victime » d'une situation quelconque. Cela peut être une maladie, une difficulté relationnelle ou un blocage dans sa vie. Peu importe. Le problème est qu'elle se considère comme la victime et qu'il y a donc un « bourreau » étranger à elle, qui est le responsable de sa situation : un mari infidèle, un patron intransigeant, une erreur bancaire, une infection virale, un organe déficient, un accident de voiture, etc.

La personne va donc voir le « thérapeute » pour qu'il trouve une solution à sa situation. Le thérapeute devient ainsi le « sauveur » qui va libérer la victime de son « bourreau ». C'est le magicien qui va apporter la solution d'un coup de baguette magique.

Lorsque l'on a intégré Ho'oponopono, il n'est plus possible d'entrer dans cette illusion de guérir les autres. Le thérapeute ne peut plus prétendre guérir son patient et le patient ne peut plus attendre d'être guéri par le thérapeute. La relation se transforme en un échange où tous les deux ont quelque chose à guérir à l'intérieur, le patient comme le thérapeute.

Chaque thérapeute devrait d'ailleurs remercier chaque patient du cadeau merveilleux qu'il lui apporte en lui montrant ses propres zones d'ombre, ses propres angles morts que tout seul, il ne pourrait jamais voir. Plus il va éclairer ses zones d'ombre et ouvrir son champ de vision, plus l'ouverture et la lumière vont se manifester à l'extérieur de lui, et en particulier chez ses patients.

Le rôle du thérapeute est donc de vivre dans la paix et de laisser rayonner le plus possible sa paix intérieure. Pour cela, il n'a qu'une seule chose à faire : nettoyer, nettoyer, nettoyer ses propres mémoires. Ainsi, il montrera à tous que la paix est possible et que la paix commence à l'intérieur de soi.

Le rôle du thérapeute serait ainsi plutôt celui d'éclaireur de consciences, d'ouvreur des possibles (ou de quelqu'un qui ouvre des portes à de nouveaux possibles) et de « transformateur » de point de vue. C'est une personne qui cherche à incarner sa vraie identité et par son exemple, il invite les autres à faire de même. Mais il va aussi plus loin :

– il va rechercher la « divinité » dans chaque personne afin de lui redonner toute sa place ;

**Ouvrir des possibles**

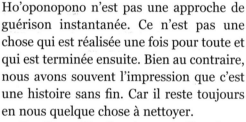

– il va aussi inviter la personne à changer son regard sur sa situation. Cela va l'aider à sortir de son rôle de victime, pour prendre conscience qu'elle a tout à l'intérieur d'elle-même pour guérir ou pour résoudre son problème. Ainsi, la paix commence à l'intérieur de soi.

## Un chemin de chaque jour

Ho'oponopono n'est pas une approche de guérison instantanée. Ce n'est pas une chose qui est réalisée une fois pour toute et qui est terminée ensuite. Bien au contraire, nous avons souvent l'impression que c'est une histoire sans fin. Car il reste toujours en nous quelque chose à nettoyer.

Est-il possible d'envisager qu'il arrivera un jour où toutes nos mémoires erronées auront été nettoyées ? Peut-être. Cela voudrait dire que nous serions arrivés à une certaine perfection, à la paix intérieure et à l'amour... Il est probable qu'une fois parvenus à ce niveau d'évolution, nous n'ayons plus grand-chose à faire sur Terre... si ce n'est transmettre notre expérience aux autres.

D'un autre point de vue, il est très probable que les différentes mémoires sont interconnectées entre les individus, c'est-à-dire qu'elles sont partagées par plusieurs personnes voire par toute l'humanité. Nous rejoignons là la notion d'Unité.

Ainsi, en nous libérant nous-même d'une mémoire, nous libérons les autres dans le même processus, même si ce n'était pas notre objectif de départ. Cette action participe à l'évolution de l'humanité tout entière.

**Un chemin et non un but**

Ho'oponopono est un chemin et non un but. L'énergie nécessaire pour parcourir ce chemin est celle de « l'Amour ». C'est un chemin d'épuration et de détachement, qui va apporter de plus en plus de pureté et de paix intérieure aux personnes qui le suivent... et aussi aux autres !

Ho'oponopono est un chemin de chaque jour, de chaque instant.

## Nous sommes tous reliés

L'Univers n'est pas tel qu'il nous est présenté habituellement. Il n'est constitué que d'énergie et ainsi, la notion même de vide est une erreur. Le vide est en fait « plein » d'énergie.

De plus, la matière telle que nous la connaissons n'existe pas. Elle n'est qu'une gigantesque concentration d'énergie. Ainsi sont formées les sub-particules et les parti-

**5**

cules qui constituent les briques des atomes et des molécules, jusqu'à arriver aux êtres humains.

De la même manière, l'être humain est énergétique bien avant d'être chimique. Les médecines traditionnelles chinoise et indienne (ayurveda) reconnaissaient parfaitement cette nature vibratoire et avaient étudié avec minutie la constitution et la circulation énergétiques de l'être humain. Les Chinois ont établi une cartographie des méridiens d'acupuncture, les Indiens ont décrit les corps énergétiques avec les chakras et la *kundalini*. La médecine moderne reconnaît également des aspects électriques chez l'homme avec la polarité des cellules, la circulation de l'influx nerveux, la contraction musculaire, les ondes cérébrales, etc. Bref l'être humain, comme tout ce qui existe dans l'Univers, est de nature énergétique, ce qui change complètement la représentation qui en est faite habituellement.

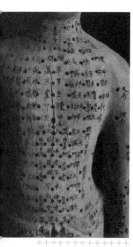

La physique quantique a aussi établi, grâce à la « théorie onde-corpuscule », qu'une onde (énergie) peut se transformer en corpuscule (matière) et inversement – comme l'eau peut se transformer en vapeur et redonner ensuite de l'eau lorsque la température baisse. Ainsi, les deux aspects : matière et énergie sont en fait de même nature énergétique et peuvent s'interchanger.

C'est là qu'intervient l'information. C'est elle qui va ordonner les formes ondulatoires ou corpusculaires de l'énergie partout dans l'Univers. Or, la pensée humaine n'est rien d'autre qu'une information portée par une onde. Elle est aussi capable de prouesses, comme l'ont montré de nombreuses expériences de physique quantique et de la recherche russe. Il est maintenant bien établi que la pensée est capable d'agir sur la matière, comme l'ont aussi révélé les travaux du Pr Masaru Emoto sur la cristallisation de l'eau (voir plus loin).

Tous ces phénomènes sont fort bien résumés dans la « théorie des cordes » de la physique quantique. Il s'agit de la « théorie du tout », car elle unifie les différents principes de l'Univers. Voici ce qu'elle décrit très poétiquement :

**Théorie du tout**

– toutes les particules atomiques sont composées d'infinitésimales boules d'énergie qui vibrent comme des cordes ;

– chaque corde vibre à une fréquence propre, comme les différentes notes produites par un violon ;

– ce sont ces notes qui composent tout notre univers... dans une magnifique symphonie cosmique ;

– ces cordes ne font que s'assembler et se réassembler depuis le Big Bang, dans un immense mouvement que l'on appelle la vie.

Tout ceci explique les liens qui existent entre les humains mais également entre les humains et l'Univers tout entier. Ils montrent que nous sommes tous reliés.

C'est ainsi que la physique quantique peut contribuer à expliquer le fonctionnement de Ho'oponopono. Car à partir du moment où tout n'est qu'énergie et que l'esprit peut interférer sur cette énergie/matière, nous commençons à comprendre comment nos mémoires erronées peuvent façonner des éléments perturbateurs et, à l'inverse, comment une pensée pure apportera une harmonie dans l'environnement qu'elle habite.

# Le message d'Emoto

Masaru Emoto est connu dans le monde entier pour ses remarquables travaux sur les cristallisations de l'eau. Il a ainsi montré que la structure de l'eau change selon la présence ou non de pollution, selon la musique émise mais aussi selon les pensées qui lui sont envoyées. Cette dernière expérience montre comment notre seule pensée interfère sur la matière – l'eau.

**Rien n'est inéluctable**

Toujours grâce à Emoto, nous savons aussi que rien n'est inéluctable : ce qui a été fait peut également être défait. Si une pensée négative déstructure l'eau, une pensée positive est capable de la restructurer.

C'est pourquoi lorsque Masaru Emoto a vu les énormes dégâts écologiques produits par la fuite de pétrole dans le Golfe du Mexique en 2010, il aurait lancé via Internet un appel pour qu'un grand nombre d'êtres humains s'unissent pour envoyer une intention d'amour et de guérison en direction de cette terrible pollution.

S'inspirant de cette pratique de Ho'oponopono, il aurait proposé de réciter une « prière » afin d'agir sur cette catastrophe, de la stopper et de nettoyer les dégâts causés sur l'environnement. Car étant les créateurs de tout ce qui arrive dans nos vies, de près ou de loin, nous avons aussi créé ce désastre. Ainsi, en changeant nos pensées, nous pouvons aussi le réparer et le faire disparaître.

Il est bien difficile de savoir si le message ci-contre a réellement été lancé par Masaru Emoto, mais au fond, cela importe peu. Car il est magnifique et rassembleur.

**Pour aller plus loin**

Voici le message d'Emoto :

« *J'envoie l'énergie de l'amour et de la reconnaissance à l'eau et à tous les êtres vivant dans le Golfe du Mexique et ses environs. Aux baleines, aux dauphins, aux pélicans, aux poissons, aux crustacés, au plancton, au corail, aux algues et à toutes les créatures vivantes... Je suis désolé. S'il vous plaît, pardonnez-moi. Je vous remercie. Je vous aime.* »

Nous pourrions ne pas nous limiter à cette catastrophe mais tout au contraire étendre cette « prière » à tous les êtres humains dans la souffrance, à toutes les pollutions, à toutes les catastrophes, à tous les malheurs, à toutes les injustices et à toutes les guerres qui se déroulent aujourd'hui partout sur notre Terre. Nous pourrions également envoyer des pensées d'amour à tous les gouvernants de notre monde, voire de l'Univers tout entier, afin de transformer notre planète en un magnifique éden où tous les êtres auraient leur place dans l'harmonie, le partage et l'amour.

Car si nous sommes suffisamment nombreux à consacrer tous les jours quelques minutes à faire cette demande, tranquillement sans même sortir de chez nous, TOUT peut changer. Il n'y a pas de limite à notre pouvoir. Nous pouvons tout changer dans notre vie du jour au lendemain.

Et pour les sceptiques, cela ne coûte rien d'essayer. Car si cela fonctionne, comme les travaux d'Emoto l'ont montré, notre planète, nous-mêmes et notre santé s'en trouveront transformés.

## Les nouvelles énergies

Ian Lungold[3], qui a beaucoup étudié le calendrier maya[4], explique que nous sommes actuellement dans un grand mouvement d'évolution vers des états d'être de plus en plus élevés. Ceci est d'ailleurs confirmé par une augmentation de la fréquence de la résonance de Schumann, qui est relation directe avec le champ magnétique terrestre. Elle serait passée de 7,8 hertz dans les années 1970 à 12,9 hertz actuellement, ce qui constitue un changement spectaculaire et totalement nouveau pour la Terre.

**Un grand moment d'évolution**

---

3. http://www.mayanmajix.com/Ian_datapage.html
http://video.google.fr/videoplay?docid=-4471242431596979951#
4. Un livret sur le calendrier maya est téléchargeable gratuitement sur le site www.eveiletsante.fr

Cette élévation fréquentielle va se manifester par une accélération de plus en plus rapide des événements, ce qui va perturber les êtres humains, entraînant fatigue, dépression, stress, anxiété, insomnie, vertiges, désorientation, troubles de la concentration...

Cette évolution de la Terre et de l'Univers est inéluctable. Elle va permettre à tous les êtres humains de développer leur esprit et leur conscience, mais aussi d'être moins attachés à la matière.

Beaucoup de personnes sont actuellement incommodées par ces changements qui se font progressivement, par paliers. Pour les aider à se préparer et aider leur corps et surtout leur esprit à s'adapter à ces nouvelles énergies, il convient qu'elles demeurent toujours centrées sur elles-mêmes. Il est important pour cela de demeurer « intègre » c'est-à-dire de suivre le chemin de son cœur et de ses intuitions, mais aussi de rester connecté à l'énergie d'Amour.

**Intégrité
Intuition
Amour**

De plus, et c'est l'autre élément essentiel, il est important de s'alléger de toutes les mémoires erronées, des vieux schémas, des circuits inutiles qui n'ont plus rien à faire dans ces nouvelles énergies et qui, au contraire, vont terriblement perturber l'avancement des personnes. C'est sans doute pour cette raison que Ho'oponopono se développe actuellement partout sur la planète. Il est présent pour aider les personnes à alléger leur fardeau, leur permettre d'enlever de manière très simple et très rapide toutes les mémoires négatives qu'elles peuvent transporter, aux seules conditions qu'elles en prennent conscience et qu'elles demandent leur effacement.

Ho'oponopono va permettre aux êtres humains de s'affranchir de leurs chaînes passées pour accéder aux nouvelles énergies, annonciatrices des merveilleux changements à venir pour le plus grand bien de l'ensemble de l'Humanité.

5

# Conclusion

Ho'oponopono est un outil merveilleux qui ne nécessite pas de longues et fastidieuses heures d'apprentissage. Il ne nécessite l'aide de personne, d'aucun maître, d'aucun gourou ni d'aucun dirigeant. Sa technique est d'une simplicité enfantine. Et curieusement, si nous écoutons notre intuition, nous sentons au fond de nous-même que cette voie est juste.

**Simplicité**

Son principe consiste à repérer dans notre environnement ce qui ne va pas, ce qui « cloche », ce qui est souffrance et dysharmonie. À partir de là, il faut se dire que ces dysharmonies sont le reflet de nos souffrances intérieures provenant de nos mémoires passées. Et la clef, la solution, consiste simplement à envoyer de l'amour et du pardon à cette mémoire, à ce problème pour qu'il disparaisse comme par enchantement. C'est si simple que cela semble trop beau pour être vrai. Pourtant, il suffit de l'expérimenter pour s'apercevoir que cela fonctionne. Ce seul fait vaut toutes les explications ! Ensuite, une fois le

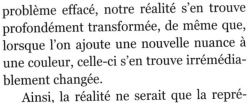

problème effacé, notre réalité s'en trouve profondément transformée, de même que, lorsque l'on ajoute une nouvelle nuance à une couleur, celle-ci s'en trouve irrémédiablement changée.

Ainsi, la réalité ne serait que la représentation des différentes facettes de notre personnalité, conscientes et inconscientes, harmonieuses ou dysharmonieuses. La psychologie tout comme la psychiatrie avaient déjà évoqué cette notion. Jung avait aussi parlé de « synchronicités » qui surviendraient dans notre vie comme des indicateurs de marche à suivre, sans trop expliquer d'où pourraient provenir ces étranges coïncidences.

Ho'oponopono, quant à lui, explique parfaitement comment se produisent ces phénomènes. Il précise que c'est nous, et nous seuls, qui sommes les créateurs de la réalité (notre réalité), de l'environnement dans lequel nous vivons, des personnes que nous rencontrons, des événements qui surviennent dans notre vie. Présenté autrement, nous pourrions dire que notre intérieur et notre extérieur sont reliés, voire même plus simplement qu'ils ne forment qu'une seule et même entité.

Ces notions rejoignent certains aspects de la physique quantique, qui expliquent comment la pensée agit sur la matière, mais aussi que nous sommes tous reliés d'un bout à l'autre de l'Univers. D'où la question que se posent bon nombre de chercheurs : « Et si tout n'était, en définitive, qu'information ? ». Question judicieuse mais terriblement gênante pour nos esprits cartésiens. De plus, si nous allons encore plus loin, nous pouvons nous demander si le réel existe bien. Car Ho'oponopono nous enseigne que ce que nous vivons n'est que le reflet de notre réalité intérieure ; à chacun, donc, sa réalité personnelle, ce qui signifie que chacun crée sa propre réalité comme un artiste qui crée sa toile.

Alors suivons cette route de Ho'oponopono qui nous montre que nous pouvons changer le monde en restant tout simplement chez nous et qu'ainsi, nous sommes capables de créer le paradis ou l'enfer selon les mémoires réactivées. Ho'oponopono nous enseigne aussi que l'amour est la force qui domine tout. Elle n'est pas opposable à la haine et à la méchanceté. Ce sont la compassion et la bonté qui le sont. L'amour transcende tout. Il est la clef qui permet d'effacer toutes les mémoires négatives et de développer une réalité ou plutôt un intérieur harmonieux.

**L'amour transcende tout**

Ho'oponopono nous indique le chemin à suivre pour cela.

Nous sommes les responsables de la réalité, ce qui nous conduit aussitôt à la notion de culpabilité, notion tout à fait erronée pour Ho'oponopono. Il convient de nous voir plutôt comme les créateurs de notre toile, de notre réalité, que nous pouvons faire et défaire selon notre volonté et nos aspirations. La réalité n'a donc pas de consistance. Alors de quoi pourrions-nous être responsables ? Le peintre est-il le responsable de sa toile ? Cela n'a pas de sens. Il en est le créateur. Il peut la laisser en état ou la modifier si l'envie lui en prend.

**À chacun de trouver la réponse**

La réalité, dans le sens où nous l'entendons habituellement, n'existerait pas. Elle change sans cesse selon nos inspirations, sans même que nous nous en rendions compte la plupart du temps. La vie ne serait donc qu'une illusion, ce qui rejoindrait la philosophie bouddhiste ou mieux, le point de vue des aborigènes australiens qui parlent des faiseurs de rêves. Peut-être sommes-nous simplement en train de rêver que nous vivons et, par là, que nous faisons des expérimentations pouvant servir à notre évolution personnelle ? À chacun de trouver sa réponse. C'est aussi cela, le merveilleux de Ho'oponopono, il n'impose rien et nous laisse totalement libres de penser ce que nous voulons. Tout est bien... Car chaque explication correspondra très précisément à la réalité présente de chacun. Il n'y a donc pas une seule réponse. Il y a en fait autant de réponses qu'il y a d'individus dans cet Univers.

Ainsi, Ho'oponopono est à la fois une philosophie merveilleuse mais aussi un outil d'une simplicité et d'une efficacité remarquables, qui permet de transformer notre vie, nous dirons presque de la transcender. Car lorsque l'on a expérimenté Ho'oponopono et constaté ses résultats dans la vie courante, nous ne sommes plus jamais les mêmes.

Ho'oponopono nous montre que :

« Nous ne sommes pas des êtres humains recherchant leur nature spirituelle.

« Nous sommes tout au contraire des êtres spirituels ayant, dans cette vie, une expérience matérielle. »

Ne nous croyez pas
sur parole, expérimentez
par vous-même.

# Annexes

MÉDITATIONS

# Méditation pour se connecter à son Moi supérieur

*Jean Graciet*

« Commencez par vous asseoir très confortablement... sur une chaise ou dans un fauteuil et vous allez maintenant vous accorder un moment de détente... Vous pouvez fermer les yeux dès que vous sentez que c'est le moment... prenez conscience de ce lieu particulier que vous avez choisi pour cette méditation... de ce qui vous entoure... des bruits environnants... de la température de la pièce... d'une odeur peut-être... Sentez le contact de votre corps sur votre siège... le contact de votre dos contre le dossier... de vos mains posées sur vos cuisses... de vos pieds posés sur le sol...

Et vous allez commencer maintenant par respirer en conscience... commencez par inspirer très PROFONDÉMENT en gardant l'air quelques instants dans vos poumons, trois ou quatre secondes... puis, laissez sortir l'air par votre bouche LENTEMENT... Inspirez à nouveau PROFONDÉMENT... et vous sentez l'air remplir vos poumons d'une énergie nouvelle... Gardez l'air quelques secondes pendant que cette énergie toute fraîche inonde votre corps... et LENTEMENT, expirez par la bouche toutes les vieilles énergies usées... continuez de respirer en inspirant PROFONDÉMENT en gardant l'air quelques instants... puis en expirant LENTEMENT...

Pendant que vous continuez de respirer, vous pouvez sentir que vous êtes de plus en plus détendu... vous sentez que tous vos muscles commencent peu à peu à se relâcher... à se détendre... vous prenez conscience que les muscles du visage sont maintenant de plus en plus apaisés, détendus... et vous pouvez laisser passer cette détente par le front... les muscles des mâchoires... de la bouche... par les muscles de la nuque... des épaules... et vous pouvez vous demander si ça descend par un côté du corps, ou de l'autre... ou des deux côtés... un délicieux flot de détente envahit vos hanches... les muscles des cuisses... des mollets... jusqu'à vos pieds...

Vous êtes entré maintenant dans un état très agréable de relaxation... et cet état agréable, vous le ressentez dans vos bras, dans vos jambes... et votre respiration a trouvé un rythme régulier et agréable... vous êtes maintenant de plus en plus détendu et parfaitement apaisé...

Pendant que vous prenez conscience que votre respiration s'est ralentie... peut-être pouvez-vous porter votre attention à l'intérieur de votre poitrine... au niveau du cœur... cet espace sacré, qui est tel un sanctuaire... Entrez maintenant dans cet espace et sentez peu à peu toute son énergie... observez cette magnifique lumière douce et reposante qui le remplit... prenez le temps de vous reposer là, quelques instants... savourez ce moment de recueillement... ce moment où vous êtes là, avec vous-même... ici et maintenant...

Peut-être pouvez-vous observer une sensation qui est là... quelque chose... peut-être que c'est une pensée... peut-être une sensation physique ou bien autre chose... accueillez-la...

Et pendant que vous êtes dans cet accueil... dans l'acceptation de ce qui est... vous sentez maintenant, là, une présence près de vous... une présence d'une bien-veillance infinie... vous vous demandez qui est cette présence... cette présence est votre Moi supérieur... c'est cette partie de vous qui, quoi qu'il se passe, est toujours par-faite... c'est la partie de vous qui sait mieux que vous ce qui est bon pour vous car elle sait exactement ce qu'elle a à faire...

Vous sentez maintenant que vous pouvez vous abandonner à l'amour de votre Moi supérieur pour vous... Cet amour est et sera toujours présent... vous n'avez pas à y faire appel ni rien à faire pour le mériter... tout ce que vous avez à faire, c'est de l'accepter... sentez comme vous irradiez l'amour que votre Moi supérieur éprouve pour vous... laissez cette lumière d'amour se répandre dans tout votre corps, dans tout votre être...

Et vous réalisez que c'est dans le silence que vous allez l'entendre... Vous pouvez lui demander de vous faire sentir sa présence, d'une façon ou une autre... Demandez-le-lui... dites-lui que vous le reconnaissez et que vous lui faites totalement confiance... dites-lui que vous savez que vous pouvez compter sur lui pour continuer votre chemin... dites-lui que vous savez que vous pouvez toujours compter sur lui... pour vous libérer de l'emprise de toutes les mémoires erronées que vous rencontrez dans votre vie... il vous suffira de le lui demander... demandez-le lui, il sera toujours à votre écoute...

Maintenant, une fois que ce contact a été établi, vous comprenez alors que votre

**Être à l'écoute de son Moi supérieur**

Moi supérieur a été et sera toujours près de vous... qu'il est et qu'il sera toujours à votre écoute... le lien que vous avez ainsi créé va maintenant se développer de plus en plus... de plus en plus facilement... ce lien d'amour que vous avez créé va se renforcer chaque jour un peu plus... votre Moi supérieur va vous aider à garder le cap sur votre objectif qui est de nettoyer sans arrêt toutes les vieilles mémoires erronées qui vous limitent et vous empêchent d'être vous-même...

Vous pouvez lui dire maintenant que vous installez en lui la ferme intention de libérer ces mémoires erronées causes de chaque problème qui survient dans votre vie, en prononçant ces mots-clefs, merci... je t'aime... et que dès qu'il entendra ces mots, il pourra effectuer un nettoyage complet de ces mémoires... Les mots-clefs, merci... je t'aime, deviennent ainsi une ressource puissante qui vous permet de vous connecter à tout moment à votre Moi supérieur...

Vous pouvez lui dire que vous l'aimez et le remercier pour tout ce qu'il a déjà fait pour vous et aussi le remercier pour son inlassable soutien de chaque instant à votre égard...

Vous pouvez à nouveau vous concentrer sur le centre de votre poitrine, au niveau de votre cœur, pour ressentir cet amour total... cet amour inconditionnel que vous et votre Moi supérieur ressentez pour vous-même... puis sentez combien cet amour va maintenant pouvoir irradier vers chacune de vos cellules, vers la moindre partie de votre corps et briller d'un immense éclat...

Maintenant, dès que vous sentez que c'est le moment, vous pouvez revenir tranquillement, à votre rythme, sur votre siège, à l'endroit que vous avez choisi pour cette méditation... »

## Méditation pour se connecter à son enfant intérieur

*Jean Graciet*

Commencez par vous asseoir confortablement sur une chaise ou dans un fauteuil... et prenez conscience pleinement de tout ce qui vous entoure... les bruits environnants... la température de l'endroit où vous êtes... les odeurs de la pièce... puis le contact de votre corps sur votre siège... Prenez conscience que vous pouvez vous laisser aller maintenant dans un état de détente très confortable... en ce moment il n'y a aucun endroit où vous devez aller ni rien que vous devez faire... vous êtes seulement présent là, ici et maintenant...

Si cela n'est pas déjà fait, vous pouvez fermer les yeux... sentez le contact de votre corps bien posé sur votre siège... le contact du dos contre le dossier... et des pieds sur le sol... et peut-être de vos mains posées sur vos genoux...

Maintenant, laissez-vous aller à prendre conscience de votre respiration... faites à présent plusieurs respirations lentes et profondes... inspirez PROFONDÉMENT en remplissant vos poumons... gardez l'air quelques secondes dans vos poumons... puis expirez LENTEMENT... à nouveau inspirez PROFONDÉMENT en gardant vos poumons remplis... puis expirez LENTEMENT... concentrez-vous sur les sensations que vous éprouvez dans les narines quand vous expirez... et sentez l'air caresser vos lèvres quand vous expirez... continuez d'inspirez PROFONDÉMENT... gardez l'air quelques instants dans vos poumons... puis expirez LENTEMENT...

**Prendre soin de son enfant intérieur**

Vous êtes maintenant de plus en plus détendu, relaxé... et pendant que vous ressentez cette détente agréable vous envahir... vous commencez à sentir tous les muscles de votre visage se relaxer de plus en plus... vous sentez un apaisement très agréable qui descend le long de votre visage... des muscles de votre mâchoire... autour de votre bouche... un apaisement qui descend le long de votre cou... de vos épaules... de vos bras... vous vous sentez de plus en plus relaxé... une détente très agréable envahit maintenant votre dos et votre colonne vertébrale... descend jusqu'à vos hanches... vos cuisses... vos genoux... et vous vous sentez maintenant de plus en plus relaxé et apaisé...

Et pendant que vous profitez de ce moment de relaxation, vous pouvez imaginer un merveilleux jardin plein de lumière et rempli de très belles fleurs, de plantes très variées, d'arbres... Il y a tout ce que vous voulez... vous reconnaissez toutes les plantes que vous aimez... Dans ce merveilleux jardin il y a aussi de jolies pierres... des allées bordées de fleurs... et vous pouvez peut-être entendre le bruit de l'eau qui coule... peut-être est-ce une rivière ou peut-être une fontaine... laissez aller votre imagination et créez votre propre jardin avec toutes les plantes que vous aimez...

Et de là où vous êtes, dans ce jardin merveilleux, vous découvrez un enfant qui est là et que vous n'aviez pas remarqué jusque-là... vous regardez cet enfant et vous le reconnaissez maintenant, c'est votre enfant intérieur... Vous le voyez... vous voyez son corps... son visage... vous pouvez le voir aller dans le jardin... en train de l'explorer... il s'arrête devant un arbre... le touche... puis il continue et il s'arrête devant une fleur... il s'en approche... peut-être a-t-il envie de sentir son parfum... ou d'observer la couleur de ses pétales... sa texture... peut-être a-t-il simplement envie de la caresser...

Il s'émerveille de tout ce qu'il voit et se promène dans ce beau jardin où il se sent libre et en sécurité.

Vous pouvez lui demander s'il veut s'approcher de vous et s'il a besoin de quelque chose... vous pouvez lui dire que vous êtes là pour l'aider et que vous allez prendre soin de lui... il a gardé en lui des mémoires enfouies, causes de beaucoup d'émotion et de souffrance... alors dites-lui que vous l'aimez et que vous serez dorénavant toujours près de lui... il a grand besoin d'être aimé et d'être rassuré... peut-être a-t-il envie maintenant que vous le preniez dans vos bras... demandez-le lui... si c'est le cas, alors faites-le... ressentez dans votre corps sa confiance, son réconfort...

Laissez-le ensuite, s'il le désire, poursuivre l'exploration du jardin... S'il le souhaite, vous pouvez l'accompagner en lui donnant la main... vous réalisez maintenant que c'est dans ce jardin que vous pourrez toujours retrouver votre enfant intérieur... en toute sécurité...

Ce jardin sera toujours à votre disposition pour vous détendre... pour retrouver, reconnaître et accueillir vos émotions passées... c'est ici que vous allez pouvoir rencontrer votre enfant intérieur et lui rappeler que vous l'aimez... il va ainsi s'épanouir et devenir, peu à peu, l'enfant pur et de lumière qu'il a toujours été...

Maintenant, peu à peu, vous allez pouvoir revenir progressivement, à votre rythme, sur votre siège... à l'endroit que vous avez choisi pour cette méditation... »

*Textes écrits par Jean Graciet
pour l'élaboration du CD audio
« Ho'oponopono,
un chemin vers la conscience »
partie 2.*

# Exercice utilisant
# le procédé Z-point

Cet exercice est basé sur une technique énergétique appelée procédé Z-point. Celle-ci a été créée par Grant Connoly au Canada. Le procédé Z-point est utilisé pour programmer le subconscient afin qu'il accepte d'enclencher un processus de nettoyage chaque fois que nous rencontrons un problème. Il peut nous permettre d'intégrer la pratique de Ho'oponopono dans notre quotidien.

Pour cela, il convient d'utiliser un mot-clef que nous allons répéter plusieurs fois et qui va pénétrer dans les différentes couches de notre subconscient. Nous pouvons choisir comme mot-clef « *Merci, Je t'aime* » et, par exemple, visualiser une pluie d'amour qui nous nettoie.

**Mot-clef :
« Merci,
je t'aime »**

Il faut commencer par lire le texte suivant qui va installer le programme de guérison. Cette installation se fait en une seule fois. Il n'est pas nécessaire de la refaire par la suite.

Pour cela, faites quelques respirations profondes et lisez à haute voix :

« *Par ces mots, j'établis la ferme intention d'obtenir de toi, mon subconscient, le meilleur des nettoyages. Chaque fois que je rencontrerai un problème dans ma vie, au simple fait de dire ou de penser mon mot-clef comme un mantra, tu libéreras aussitôt toutes les mémoires en rapport avec le problème qui attire mon attention. Cela se réalisera de façon douce, facile et sécuritaire.*

*Chaque fois que j'utiliserai ce procédé de nettoyage, je libérerai ainsi toutes les pensées, les croyances, les émotions, les idées préconçues et les jugements que j'aurai expérimentés un jour et qui sont en rapport avec ce qui est écrit dans le cercle ou sur quoi je porte mon attention, pendant que je répéterai mon mot-clef, tout en comptant de dix, qui correspondra au moment présent, jusqu'à zéro, qui sera le moment où la situation a commencé. Pendant ce temps, tu effectueras le nettoyage dans des couches de plus en plus profondes de mon être. Merci. »*

**Laisser venir l'émotion**

Une fois ce programme installé, vous pouvez faire l'exercice suivant : cherchez quelque chose qui vous préoccupe, par exemple un problème relationnel avec une personne. Pensez à cette personne et laissez venir l'émotion que cette pensée fait émerger en vous. Puis, faites un cercle sur une feuille et marquez le nom de la personne et l'émotion qui s'y rattache. Vous pouvez aussi faire cela mentalement. Ce qui importe, c'est que vous restiez centré sur cette pensée.

Ensuite, vous comptez de 10 à 0... et après chaque chiffre vous répétez le mot clef, six ou sept fois.

*10... mot-clef*
*9... mot-clef*
*8... mot-clef*
*7... mot-clef*
*6... mot-clef*
*5... mot-clef*
*4... mot-clef*
*3... mot-clef*
*2... mot-clef*
*1... mot-clef*
*0... mot-clef*

Respirez ensuite profondément et continuez de répéter votre mot-clef comme un mantra pendant que vous regardez le cercle, ce qui vous permet de rester focalisé sur votre problème.

Le mot-clef devient ainsi une ressource qui vous permet à tout moment de vous connecter à cette partie de vous-même qui est dans l'amour et en union avec tout.

# Bibliographie

- René Egli, *Le principe Lola, la perfection du monde*, Éditions d'Olt, 1999.

- Masaru Emoto, *Les messages cachés de l'eau, Le miracle de l'eau*, Éditions Guy Trédaniel, 2008.

- Debbie Ford, *La part d'ombre du chercheur de lumière : recouvrez votre pouvoir, votre créativité, votre éclat et vos rêves*, J'ai lu, 2010.

- Shakti Gawain et Laurel King, *Vivez dans la lumière : développer l'amour et la confiance en soi pour l'inspirer aux autres*, J'ai lu, 2004.

- Gerald Jampolsky, *Aimer, c'est se libérer de la peur*, Editions Soleil, 1988.

- Mabel Katz, *La voie la plus facile*, Éditions Le Dauphin blanc, 2010.

- Anthony de Mello, *Quand la conscience s'éveille*, Albin Michel, 2002.

- Victoria E. Shook, *Ho'oponopono : Contemporary Uses of a Hawaiian Problem-Solving Process*, East-West Center Studies.

- Joe Vitale et Ihaleakala Hew Len, *Zéro limite*, Éditions Le Dauphin blanc, 2008.

- Marianne Williamson, *Un retour à l'amour. Manuel de psychothérapie spirituelle : lâcher prise, pardonner, aimer*, J'ai lu, 2006.

# Pour aller plus loin

• Un e-book gratuit sur Ho'oponopono peut être téléchargé sur le site www.eveiletsante.fr (page Ho'oponopono).

• Maria-Elisa Hurtado-Graciet et son mari Jean Graciet proposent des stages de 2 jours intitulés « Ho'oponopono, un chemin vers la conscience ».

Ils ont également créé un jeu de cartes Ho'oponopono et des CD audio, qui sont des outils ludiques et concrets pour continuer de pratiquer au quotidien.

Vous trouverez toutes les informations sur les sites www.mercijetaime.fr et www.eveiletsante.fr.

• Le Dr Luc Bodin organise aussi des conférences et des stages ouverts à tous sur les « soins énergétiques ».

Sites personnels : www.medecine-demain.com et www.terredesreves.com

# Les auteurs

**Luc Bodin** est docteur en médecine, spécialisé en médecines douces, diplômé en cancérologie clinique. Il est conseiller scientifique auprès de plusieurs revues de santé et auteur de nombreux livres dans ses domaines de compétences que sont le cancer, la maladie d'Alzheimer, la fibromyalgie, la fatigue chronique... Le Dr Luc Bodin organise aussi de nombreux stages ouverts à tous sur les soins énergétiques.

Sites personnels : www.medecine-demain.com et www.terredesreves.com

**Maria-Elisa Hurtado-Graciet,** originaire d'Espagne, est arrivée en France à l'âge de 23 ans. Elle a occupé un emploi de cadre administratif et financier pendant quinze ans. En 2003, une série d'événements l'ont conduite à effectuer des changements dans sa vie. Elle a alors amorcé un revirement total et a quitté son ancien métier pour se consacrer entièrement à la guérison et au développement personnel. Praticienne en PNL, en EFT et autres techniques psycho-énergétiques, elle anime des conférences et des ateliers en France et en Espagne sur des sujets tels que l'EFT et Ho'oponopono.

Sites personnels : www.mercijetaime.fr et www.eveiletsante.fr.

## *Notes personnelles*

. . . . . . . . . . . . . . . . . . . . . . . . . . . . . . . . . . . . . . . . . . . . . . . . .

. . . . . . . . . . . . . . . . . . . . . . . . . . . . . . . . . . . . . . . . . . . . . . . . .

. . . . . . . . . . . . . . . . . . . . . . . . . . . . . . . . . . . . . . . . . . . . . . . . .

. . . . . . . . . . . . . . . . . . . . . . . . . . . . . . . . . . . . . . . . . . . . . . . . .

. . . . . . . . . . . . . . . . . . . . . . . . . . . . . . . . . . . . . . . . . . . . . . . . .

. . . . . . . . . . . . . . . . . . . . . . . . . . . . . . . . . . . . . . . . . . . . . . . . .

. . . . . . . . . . . . . . . . . . . . . . . . . . . . . . . . . . . . . . . . . . . . . . . . .

. . . . . . . . . . . . . . . . . . . . . . . . . . . . . . . . . . . . . . . . . . . . . . . . .

. . . . . . . . . . . . . . . . . . . . . . . . . . . . . . . . . . . . . . . . . . . . . . . . .

. . . . . . . . . . . . . . . . . . . . . . . . . . . . . . . . . . . . . . . . . . . . . . . . .

. . . . . . . . . . . . . . . . . . . . . . . . . . . . . . . . . . . . . . . . . . . . . . . . .

. . . . . . . . . . . . . . . . . . . . . . . . . . . . . . . . . . . . . . . . . . . . . . . . .

........................................................

........................................................

........................................................

........................................................

........................................................

........................................................

........................................................

........................................................

........................................................

........................................................

........................................................

........................................................

Ho'oponopono

Notes personnelles

### L'EFT
Dr Luc Bodin & Maria-Elisa Hurtado-Graciet

Découvrez L'EFT, une technique de libération émotionnelle qui combine les principes de la médecine traditionnelle chinoise (dont l'acupuncture) et les découvertes des neurosciences et de la PNL. L'EFT est simple, efficace et ludique, sans contre-indications, ni effets indésirables. Amusez-vous bien !

144 pages • Prix : 8,70 €

## Crédits photographiques

Envie de bien-être ?

# www.editions-jouvence.com

## Le bon réflexe pour :

Être en prise directe :
- avec nos **nouveautés** (plus de 60 par année),
- avec nos **auteurs** : Jouvence attache beaucoup d'importance à la personnalité et à la qualité de ses auteurs,
- avec tout notre **catalogue**... plus de 400 titres disponibles
- avec **les Éditions Jouvence** : en nous écrivant et en dialoguant avec nous. Nous vous répondrons personnellement !

# Le site web de la découverte !

Ce site est réactualisé en permanence, n'hésitez pas à le consulter régulièrement.

Achevé d'imprimer sur rotative par l'Imprimerie Darantière à Dijon-Quetigny en avril 2012 - Dépôt légal : mars 2011 - N° d'impression : 12-0398

*Imprimé en France*

Dans le cadre de sa politique de développement durable, l'imprimerie Darantiere a été référencée IMPRIM'VERT® par son organisme consulaire de tutelle. Cette marque garantit que l'imprimeur respecte un cycle complet de récupération et de traçabilité de l'ensemble de ses déchets.